子育てハッピーアドバイス
知っててよかった
小児科の巻

小児科医
吉崎達郎

スクールカウンセラー・医者
明橋大二

イラスト＊太田知子

1万年堂出版

はじめに

家庭でできることを正しく理解して ポジティブに乗り切りましょう

吉崎　達郎

「子どもを診《み》るのって、たいへんじゃないですか？　泣いてばかりで何もしゃべってくれないのに。よくわかりますね」

と、診察室《しんさつしつ》で聞かれることがあります。

「ええ、毎日子どもを診《み》ていると、次第にわかるようになってくるんですよ」

と答えていますが、ママたちの「わかる」と、医師の「わかる」は、少し違《ちが》うように思います。

医師は子どもの病名、病気の原因、よく効く

薬がすべて「わかる」と思っておられる方が多いのではないでしょうか。
実際のところは、クリアに説明できることばかりではありません。病名や原因は、時間をあけて何度か診察《しんさつ》しないとわからないケースもありますし、結局よくわからなかった（けれど治った、元気になった）、ということだってあります。

診察室《しんさつしつ》で、医師がまず判断するのは、子どもの重症度《じゅうしょうど》です。

機嫌《きげん》はよいか、周囲の大人や物に関心を示すか、呼吸状態は安定しているか、顔色はいいか、といったことを素早くチェックします。
次に、水分や睡眠《すいみん》は取れているか、嘔吐《おうと》はないか、発熱はいつから続いているかなど、家庭での様子も大切な情報です。

軽いと判断したら、薬はほとんど出さないかもしれません。検査もしないかもしれません。それでも病気はチャンと治ります。

よくある病気の大部分は、子どもが自分の力で治しているからです。

（もちろん、重いと判断した場合は、徹底的《てっていてき》に原因を突《つ》き止《と》めながら、適切な治療《ちりょう》を行っていきます）

病状の重い子どもと、軽い子どもの違《ちが》いが「わかる」のが医師の重要なスキルです。これは経験が物を言います。ママやパパも、慣れないうちは医師に頼《たよ》るしかないのですが、毎日子どもの様子をよく観察していれば、「わかる」ようになるときがフッとやってきます。

家庭で、子どもの病気や体の変化に直面したとき、診察《しんさつ》を受ければ医師に詳《くわ》しく聞いて安心もできるでしょうが、いつでもすぐに受診《じゅしん》できるわけではありません。インターネットで調べることもできますが、ママやパパがまず知っておくべき情報には、案外たどり着けず、かえって不安が大きくなる場合さえあります。

そんなとき、**「知っててよかった！」**と思える大切なことを一冊の本にしました。

ママやパパの大切な役目は、子どもの「自分で治す力」を引き出し、できるだけ楽に過ごせる環境《かんきょう》を整えることです。残念ながら病気やケガを避《さ》けて通ること

熱は高いけど
食欲もあるし
機嫌もいいし
心配ないわよね

はできませんが、本書とともに、ポジティブに乗り切っていただきたいものです。

この本は、「子育ては初めて」というママとパパだけでなく、子育てにかかわるすべての方々へのハッピーアドバイスです。

「子どもって、こんなに素晴らしい力を持っていたんだ！」という驚《おどろ》きと、感動を体験する一助になることを願ってやみません。

正しい知識を身につければ、病気になっても、あわてずに済みます

明橋　大二

毎日、読者の皆《みな》さんから寄せられる、『子育てハッピーアドバイス』の愛読者カードは、すでに5万通になっています。そこには、現代の親御《おやご》さんたちが直面する子育ての悩《なや》み、不安がすべて映し出されている、と言っても過言ではありません。

それを読ませていただいているうちに、気がついたことがありました。

今の親御《おやご》さんが不安に思うのは、子どもの心の問題だけではない。体の病気についても、同じくらい、不安を感じ、悩《なや》んでいるのだ、ということでした。

最近は、「コンビニ受診《じゅしん》」などと呼ばれ、24時間営業の感覚で、親が子どもを夜中に病院に連れてくる、といわれます。

そんなことをするから、小児科医が疲《つか》れ果《は》てて、病院を離《はな》れたり、小児科が閉鎖《へいさ》になったりするんだ、といわれます。

確かに、時間をわきまえない、非常識な人もあるでしょう。しかし私は、その一方で、**夜中に子どもが熱を出した、どうしていいかわからない、このまま取り返しのつかないことになったらどうしよう、と不安で不安で、**それで夜中に病院に来る人も決して少なくないことを知っています。

「この程度の症状《しょうじょう》で、夜中に病院に連れてこないでください。病院はコンビニと違《ちが》うんです」と露骨《ろこつ》に言われて傷ついたという親御《おやご》さんを何人も知っています。しかし、様子を見ていたら様子を見ていたで、「どうしてこんなになるまでほうっておいたんですか！」と責められるのもまた親なのです。

病院にも確かにプレッシャーがかかっているかもしれませんが、親御《おやご》さんは、それ以上のプレッシャーの中で毎日闘《たたか》っているのです。

夜中に病院に連れてくるのは、親が不安だからです。それならば、ただ夜中の受診《じゅしん》を問題にするのではなく、まず正しい知識を伝えて、親御《おやご》さんに安心と自信を持たせることが必要ではないでしょうか。

かねてからのこういう思いを、同僚《どうりょう》の吉崎医師に話をしたところ、とても共感してくれ、ではそういう本を出しましょう、と話が進み、できあがったのが、この本です。

吉崎医師は、私と同じく、現場で患者《かんじゃ》さんと接しています。朝9時から晩の9時まで、毎日毎日患者《かんじゃ》さんとその親御《おやご》さんに向き合っています。その中で、親御《おやご》さんに知ってもらいたいこと、伝えておきたいことのエッセンスが、この本には書かれています。

正しい知識を身につけ、病気になったときにあわてず乗り切る対策が、たくさん書かれています。

この本が、親御《おやご》さんの気持ちを少し楽にし、
それが子どもの笑顔《えがお》につながり、
みんなの幸せになる、
そのささやかな一助になるといいな
と思います。

子育てハッピーアドバイス
知ってて よかった 小児科の巻

もくじ

もくじ

症状別 発熱

症状別 セキ

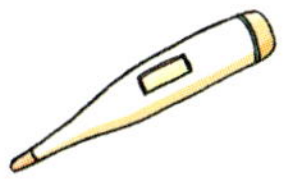

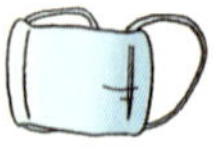

ミッションコンプリート！

もくじ

次は子どもの発達イロイロです。
カラダとココロがわかれば、育児も楽になるよ！

もくじ

Dr.明橋の相談室

次は子どもの病気の心配のアレコレです。Q&A始まるよ！

Q&A

もくじ

ママ、パパにもできる、応急手当

知ってて
よかった
1

風邪を引くたびに子どもは強くなる

「まだ小さいのに、こんなに風邪《かぜ》を引くものなんですか？」

1歳前後のお子さんを持つママから、尋《たず》ねられることがあります。

確かに、生まれてしばらくは、赤ちゃんはママからもらった抗体《こうたい》*に守られています。でも、その抗体《こうたい》の寿命《じゅみょう》は数カ月ですので、初めてのお誕生日を迎《むか》える前になくなってしまいます。赤ちゃんは、ウイルスや細菌《さいきん》*と闘《たたか》う力が、まだ強くありません。ですから「小さいのに風邪《かぜ》を引く」というより**「小さい子ほど風邪《かぜ》を引く」**と言ったほうが、この場合は正しいのです。

集団生活を始めると、保護者には悪夢のような日々が待ち構えています。風邪《かぜ》が治って保育所に預けると、すぐに別の風邪《かぜ》をもらってきて（正しくは別のウイルスをもらってきて）数日お休み。この繰《く》り返《かえ》しです。だから、初めは満足に保育所に預けられないことが多いんですよね。仕事を休みづらい中、ママは本当にがんばっておられます。でも、大丈《だいじょう》

*抗体……ウイルスや細菌から体を守る力を持つ。胎盤や母乳を通して母から子へ送られる。ママは、ママが赤ちゃんのころからいろんなウイルスや細菌と闘い、作って蓄えてきた抗体を、わが子に贈る。

*ウイルスや細菌……風邪の原因。いろいろな種類のウイルスや細菌が存在する。

夫《ぶ》ですよ。**何度も風邪《かぜ》を引くうちに、いろいろな抗体《こうたい》を作れるようになった子どもは、少しずつ闘《たたか》う力がアップしていきます。**3歳を過ぎれば風邪《かぜ》を引きにくくなるので、それまでのガマン、ですね。

ドキドキワクワクの
保育園デビュー
あ、新入りだ
行ってくるね——
夕方——
半日ぶりの再会
会いたかったわー
ママ〜
ん……？
……
ズル〜
デビューして3日。さっそくの風邪《かぜ》
おちこみ〜
熱出た
だる〜
復帰したばかりなのに……明日仕事を休まなきゃね……

3日後——
全快ダー
わっしょい
わっしょい
先生! おはようございますっ
ほほほ
待ってたわよー
仕事ダー
メラ
メラ
よーしまたバリバリ働くぞー
RRR
保育園です。熱が出てきました
ずるっ
また?
たしか先週も休んでたよね
ペコ
ペコ
すいません
すいません
3日後——
やっと治りました〜
今回は腸炎で母もダメージ大
フラ〜
ま、まあ大丈夫《だいじょうぶ》?
ジリ……
さあ仕事仕事
ヨロ……
ビクッ
RRR
ひぃいいいっ
こんなもんなの〜
ヒュールリ〜
保育園です。元気ないと思って測ったら、また熱が……
もしもし? もしもしー
こんなもんですよ
つらすぎますーっ

知ってて
よかった
2

発熱はワルモノじゃない！

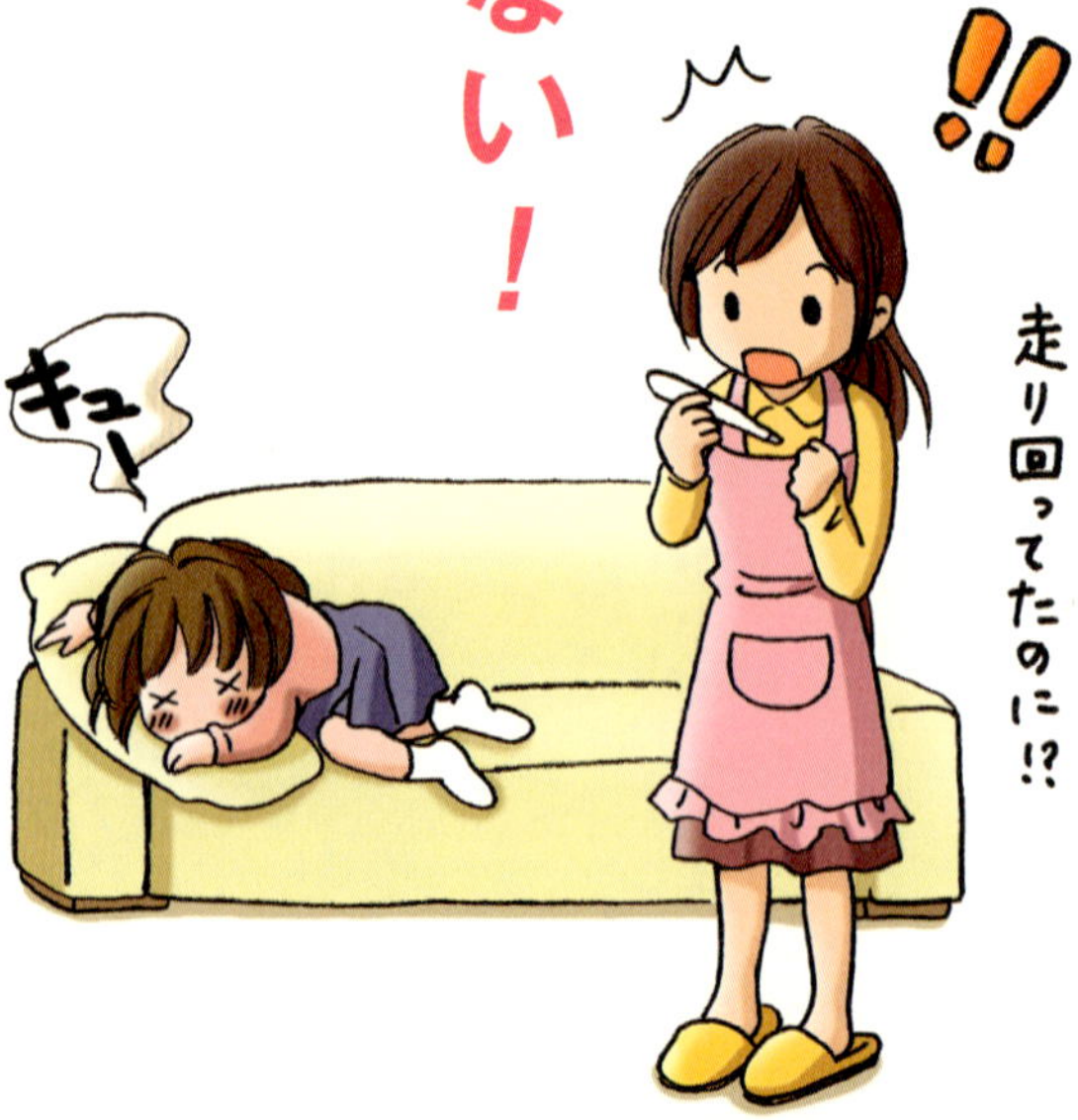
キュー
さっきまで走り回ってたのに!?

子どもは突然《とつぜん》、熱を出します。

「そういえば、昨日からキゲンがよくなかったわ」と後になって気づくこともありますが、「さっきまで元気に遊んでいたのに！」と驚《おどろ》くことのほうが多いんですね。しかも、大人ではありえないくらいの高熱が出るのですから、あわててしまいますよね。

子どもの発熱は、ほとんどのケースでウイルスや細菌《さいきん》が関係しています。発熱と聞くと「ワルモノ」のように思いがちですが、実は、**ウイルスや細菌《さいきん》と有利に闘《たたか》うために、体がわざと体温を上げている**んです。

夕方に熱が出始め、翌朝になってようやく熱が下がったかと思うと、午後からまた上がってくる。これも、よくあることです。単なる風邪《かぜ》でも、2、3日は熱が続くものなので、あわてることはありません。

熱が出たときにいちばん心配なのは、「高熱で頭がおかしくなってしまうのでは？」ということでしょう。確かに、高熱でぐったりしているお子さんを見ると、脳までやられてしまう気持ちになるのもわかります。しかし、**40度が数日続いても、発熱で脳がやられたり、後遺症《こういしょう》が残ったりすることはありません。**ご心配でしょうが、高温の車内に放置して熱中症《ねっちゅうしょう》になったのでなければ、高熱が出ても大丈夫《だいじょうぶ》ですよ。

また、**熱の高さと病気の重さは関係がありません。**高熱が出たからといって、必ずしも重病ではないということです。

何か様子が変じゃない？
すっ
すごい熱!!
40度3分!?
どうしようっ すごく苦しそう
はあっはあっ
ええっ！ さっきまであんなに元気だったじゃないか
こんなに高い熱だと脳がやられちゃうって知り合いが――
落ち着けっ
落ち着けっ
ああーっ死なないでー
わーどうすれば
落ち着け自分!!
ぐるぐる
もしもし、本当に落ち着いて
小さい子どもだと40度の熱が出ることは、よくあることなんですよ
でも高い熱だから頭がおかしくなるなんてことはないですからね
よ、よかった
ウイルスと闘《たたか》うために体がわざと体温を上げているんです。
熱の高さと病気の重さは関係ないですからご心配なく
闘いやすくするために体温を上げるぞー!!
メラメラ
がんばれー

知っててよかった 3

セキや鼻水、嘔吐や下痢も体の防衛反応

おたすけ戦隊
マモルンジャー
RED
発熱
PINK
下痢
BLUE
鼻水
YELLOW
嘔吐
GREEN
咳

発熱がウイルスや細菌《さいきん》から身を守る防衛反応《ぼうえいはんのう》であるように、セキや鼻水、嘔吐《おうと》や下痢《げり》などの症状《しょうじょう》も、それらを体の外に出そうとする防衛反応《ぼうえいはんのう》と見ることができます。**症状《しょうじょう》自体がワルモノなのではありません。悪いのはウイルスや細菌《さいきん》なのです。**

私が大学病院に勤務していたころ、ユーモアのある入院患者《にゅういんかんじゃ》さんがいました。病室の入り口に、「ウイルスや細菌《さいきん》などの小さい方々の入室はご遠慮《えんりょ》ください」という張り紙をしていたのです。彼女は抗《こう》がん剤治療《ざいちりょう》のために体の抵抗力《ていこうりょく》が落ちているので、ウイルスや細菌《さい》に感染しないように、いつも気を遣《つか》っておられました。ウイルスや細菌《さいきん》は、いつ部屋《へや》に入ってきて、いつ出ていったのかわかりません。部屋《へや》からつまみ出すこともできません。小さくて目で見ることができないからです。だから、張り紙でお願いするしかなかったのでしょう。

目に見える症状《しょうじょう》（セキや鼻水、嘔吐《おうと》や下痢《げり》など）はワルモノではありませんが、そのせいで体力を大きく消耗《しょうもう》してしまうことがあります。食事や睡眠《すいみん》を妨《さまた》げることだってありま す。そんなときは、解熱剤《げねつざい》で熱を下げたり、部屋《へや》を加湿《かしつ》してセキを抑《おさ》えたり、鼻水を吸い取って呼吸を楽にしたり、しばらく飲食を控《ひか》えて吐《は》くのを避《さ》ける、といったケアが大切なのです。

諸君！
ケンタ君の体にウイルスが侵入したぞ!!
すぐに出動してくれ!!
ウイ
まもるんじゃー
しゃー
とうっ
ホワイト博士

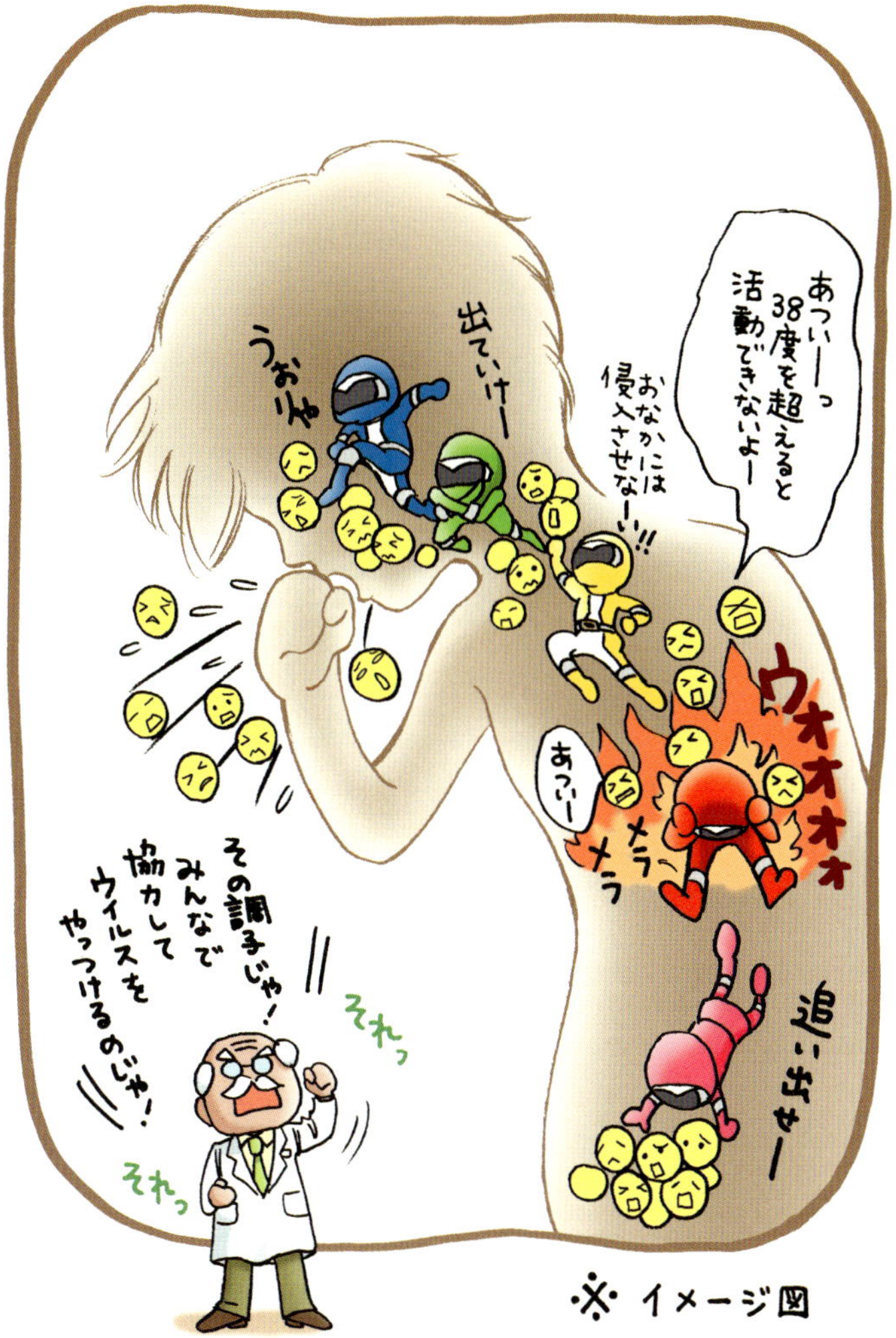
あつい──っ
38度を超えると
活動できないよー
おなかには
侵入させなーい!!
出ていけー
うおりゃ
ウオオオオォ
あつい─
メラ
メラ〜
追い出せー
その調子じゃ！
みんなで
協力して
ウイルスを
やっつけるのじゃ！
それっ
それっ
※イメージ図

知ってて よかった 4

病気を治しているのは、クスリ？

「セキや鼻水は防衛反応《ぼうえいはんのう》」と聞いても、「でも、セキや鼻水が出たら、薬でキチンと治さないといけないんじゃないの？」という疑問の声が出てきそうです。

「そうそう、ひどくならないうちに早く病院に行って、薬をもらわないと……」と賛同する親御《おやご》さんも多いと思います。

ここでまず知っておいていただきたいのは、**セキ止め・鼻水止め・タン切りなど（病院で処方される風邪薬《かぜぐすり》のこと）は、風邪《かぜ》そのものを治したり、治るまでの期間を短縮するものではない**ということです。風邪薬《かぜぐすり》といっても、風邪《かぜ》を治す薬ではありません。セキ・鼻水・タンなどの症状《しょうじょう》を抑《おさ》えるものなんです。

海外と比べ、日本では何かと薬に頼《たよ》るといいますか、薬に過剰《かじょう》に期待する傾向《けいこう》が強いようです。大人には仕事や家事があるので、薬をのんででもがんばらなければならない（一時でも症状《しょうじょう》を抑《おさ》えねばならない）ときがありますが、小さい子どもは、家でゆっくり寝《ね》かせるのがいちばんです。寝《ね》ないで動き回るのは、元気な証拠《しょうこ》です。

多くの小児科医が言います。**「自分たちが、子どもを治しているのではない。治ろうとする子どもの力（自然治癒力《しぜんちゆりょく》）を、少し手助けしているだけなんだ」**と。これは、「自然《しぜん》治癒力《ちゆりょく》」対「薬の力」＝9対1といったところでしょう。

しかし、多くの親御《おやご》さんは、「自然治癒力《しぜんちゆりょく》」対「薬の力」＝1対9と思っているのではないでしょうか。中には、0対10と思っているのではないかと見受けられる人さえありま す。医師が回復の手助けとして、ママやパパを安心させるつもりで出したのを、「薬をのまなければ風邪《かぜ》は治らない（『自然治癒力《しぜんちゆりょく》』対『薬の力』＝0対10）」と、固く思《おも》い込《こ》んでしまうところに、医師と保護者のギャップがあるのだと感じます。

もちろんこれはしかたのないことで、ママやパパ自身、幼いころには「お薬をのまないと治らないのよ」と親から言われ、風邪《かぜ》のときは、あの独特の甘《あま》さのシロップ薬をのんで育ってこられたからだと思います。

最近は薬の安全性と有効性に対する考え方が厳しくなり、薬局・薬店で販売《はんばい》されている風邪薬《かぜぐすり》には、「2歳未満には、医師の診察《しんさつ》を優先し、やむをえない場合のみ服用させること」と記すように、厚生労働省から製薬企業《せいやくきぎょう》に指示が出されました。

イギリスやオーストラリアなど、海外では、小さな子どもに服用させないように勧告《かんこく》を出している国さえあります。

ですから、**子どもに薬をのませるのは慎重《しんちょう》になったほうがいいんですね。ママも「鼻水があるから鼻水を止める薬」「セキが出るからセキを止める薬」というものではないことを、ぜひ知っていただきたいと思います。**

今日はセキがひどくて、なかなかお昼寝《ひるね》もできませんでした
ママー
鼻水も出てきたし、早めに病院へ行っておいてくださいね
うわっありがとうございました
ふーっ
仕事で疲《つか》れてるけど、このまま病院へ行っておこうか
ちょっと待った!!

私たちはマモルンジャー
はじめまして！私はセキ、グリーン!!
お子さんの体を守っています！
ボク鼻水ブルー！
私たちの働きを止めないでくださーい
とうっ
でも、こんなに小さい子がせき込《こ》んでいると心配だわ
ゴホゴホ
何も心配することはありません!!
セキをするのは、気道の侵入者《しんにゅうしゃ》を体の外に追い出しているからです！
正常な働きを薬で止めることは、体にとって不利なんです!!
ボクもがんばってるよ！
がんばるほどいやがられるけど
えっ？ それじゃあセキや鼻水は止めないほうがいいってこと？
そうです！ セキや鼻水で侵入者《しんにゅうしゃ》を外に出さないと体がのっとられてしまいます！
ボクたちのことが気になるでしょうが、しばらくソッとしておいてください
そ、そうだったのね……
ボクたちいい人！
うりゃーっやるぞー!!
たいへん!!
熱も出てきたわっ
おお
レッド！
やっぱり病院で風邪《かぜ》薬《くすり》をもらわないと！
風邪薬下さーい

風邪《かぜ》を引いたときに処方される薬は
セキ止め
鼻水止め
解熱剤《げねつざい》
などです
うおー
止めてくれるなー
あれ?
風邪《かぜ》を治す薬は……?
風邪《かぜ》そのものに効く風邪《かぜ》の薬はないんですね
えー―っ 風邪を治す薬ってないんですかー
ですからこれらの薬をのんでも、風邪《かぜ》が治ったり、治るまでの期間が短くなることはありません
症状を抑えるだけ
そうだったんですかー!!
思わずスタンドアップ
しかも、小さいお子さんは、薬をのむデメリットのほうが大きいので、無理にのませないほうがいいんですよ。大人とは違《ちが》います
風邪薬ってこんなもんです
言葉がない
ぱくぱく
小児科は薬をもらうために行く所だと思っていたけど……
重い病気のサインがないかチェックするところという感じで理解してください
実は子どもが自分で治しているんです。子どもの力を信じてネ!
クスリをのんだから風邪が治ってたわけじゃなかったんだー
な、なんか楽になった――

知ってて
よかった
5

子どもはスゴイ回復力を持っている

子どものケアで大切なことは、子どもの自然治癒力《しぜんちゆりょく》を信じることです。「自然治癒《しぜんちゆ》」と聞くと、「なるべく薬を使わずに治す」という、一つの治療《ちりょう》の考え方のように思っている人がいます。しかし、そうではありません。自然に治ってしまうということです。

病気で苦しむ子の姿を見た親は、何とかその苦しみを取ってやりたいと思います。中には、早く元気になってほしいと願うあまり、「たくさん食べさせて、体力をつけさせないと」とがんばる親御《おやご》さんもおられます。

でも、ちょっと待ってください。体調が悪いとき、ママやパパはいつもと同じように食事を取りますか？　あまり食べないのではありませんか？　無理して食べるのはつらいこと。子どもだって同じです。また、**たくさん食べたから早く治るというものでもありません。**こんなときは栄養のことはおいておいて、子どもの好きな物、食べやすい物を与《あた》えてください。欲しがるだけでじゅうぶんです。何も食べなかったとしても、栄養の蓄《たくわ》えがあるので、水分が取れていれば大丈夫《だいじょうぶ》です。

子どもは急に高熱を出したり、症状《しょうじょう》がひどくなったりしますが、元気になるのも早いんです。子どもはスゴイ回復力を持っていますから、数日もすれば食べる量は戻《もど》っていきますよ。

今日は病気だから、栄養があって消化がよくて食べやすい物を作らなきゃね
よーしっ
おかゆも手抜きしないで作ろう
さあ、ご飯だよー。たくさん食べて早くよくなってね
むーーっ
おかゆたくさん作っちゃった
べぇ
ぽいっ
プイ
ぱしっ
惨敗……
もうあっち行くーー
すごく苦労して作ったのに一口も食べず……
大量に余ったおかゆ
大量に余ったスープ

よーし、夕飯こそは!!
リベンジに燃える
そうだっ
便が緩《ゆる》かったから
キャベツのスープにしよう!!
ゴオオオ
そうと決まれば
買い物に
GO!
ビョオオオ
ズル
ちょ、ちょっと待って!
食欲のないときは、
無理して
食べさせなくても
いいんですよ
あら、吉崎センセ
だぁ
でも、
こんなときこそ
栄養のある物を
食べさせなきゃ、
元気にならないわ
栄養のことは
元気になってから
ですよ。今は蓄《たくわ》え
があるから大丈夫《だいじょうぶ》
Bu
食事は子どもの
欲しがる物だけで
じゅうぶんです。
それよりも、
水分を取ることだけは
注意してくださいね
ハイ
こんな物しか
食べてくれない
けど……
これじゃおやつだわ
あーん
それで
いいんですよ

知ってて
よかった
6

病気の見通しを知り、安心して子どものケアを

確かに子どもにはスゴイ回復力がありますが、周囲の人たちのサポートは欠かせません。中でも、ママやパパの役割は大きいのです。

ところが残念なことには、「早く治ってほしい」の思いがあっても、何が子どもにとっていちばんよいのかがわかりません。このままでよいのか、それとも何かしなければならないのか。それがわからないから不安になるのです。

このあと、どういう症状《しょうじょう》が出て、熱は何日くらい続いて、水分が取れていれば家で休ませていて大丈夫《だいじょうぶ》、などということがわかれば、安心できると思います。

5日ほど高熱が続く病気であることがあらかじめわかっていれば、3日たって熱が下がらなくても、「どうして熱が下がらないの？」と心配になることもありません。ママやパパが安心していれば、子どもも安心して休むことができます。これからたどる病状のコースを知るのは、とても大切なことです。

一般的《いっぱんてき》な風邪《かぜ》のたどるコースを、次のページに示します。

元 気

ウイルスが
鼻（口）
から入る

まだ元気

ウイルスが
体の中で
増《ぞう》殖《しょく》する

何かヘン

体温の
設《せっ》定《てい》変《へん》更《こう》
→発熱

一般《いっぱん》的《てき》な
風邪《かぜ》のたどる
コースを知って、
余裕《よゆう》を持って
乗り切ってください

解熱 ◀ 熱い しんどい ◀ 悪寒

通常2、3日後

食欲が落ちる

冷やす

熱が上がり切る

汗《あせ》や呼吸の蒸気によって、水分がどんどん失われています。水分補給に注意してください

温める

小刻みに筋肉を動かす（収縮する）ことで、熱を発生する
→体温急《きゅう》上《じょう》昇《しょう》

ぽ〜
あらまぁ39度！
もう病院は閉まってるし、どうしよう
救急外来に連れていくか
風邪《かぜ》ですね
薬を出しておきましょう。明日またかかりつけの小児科に行ってくださいね
次の日——
もう下がってる
安心……
昨日救急外来に行ってよかったな
行ってらっしゃい
じゃあ行ってくるよ

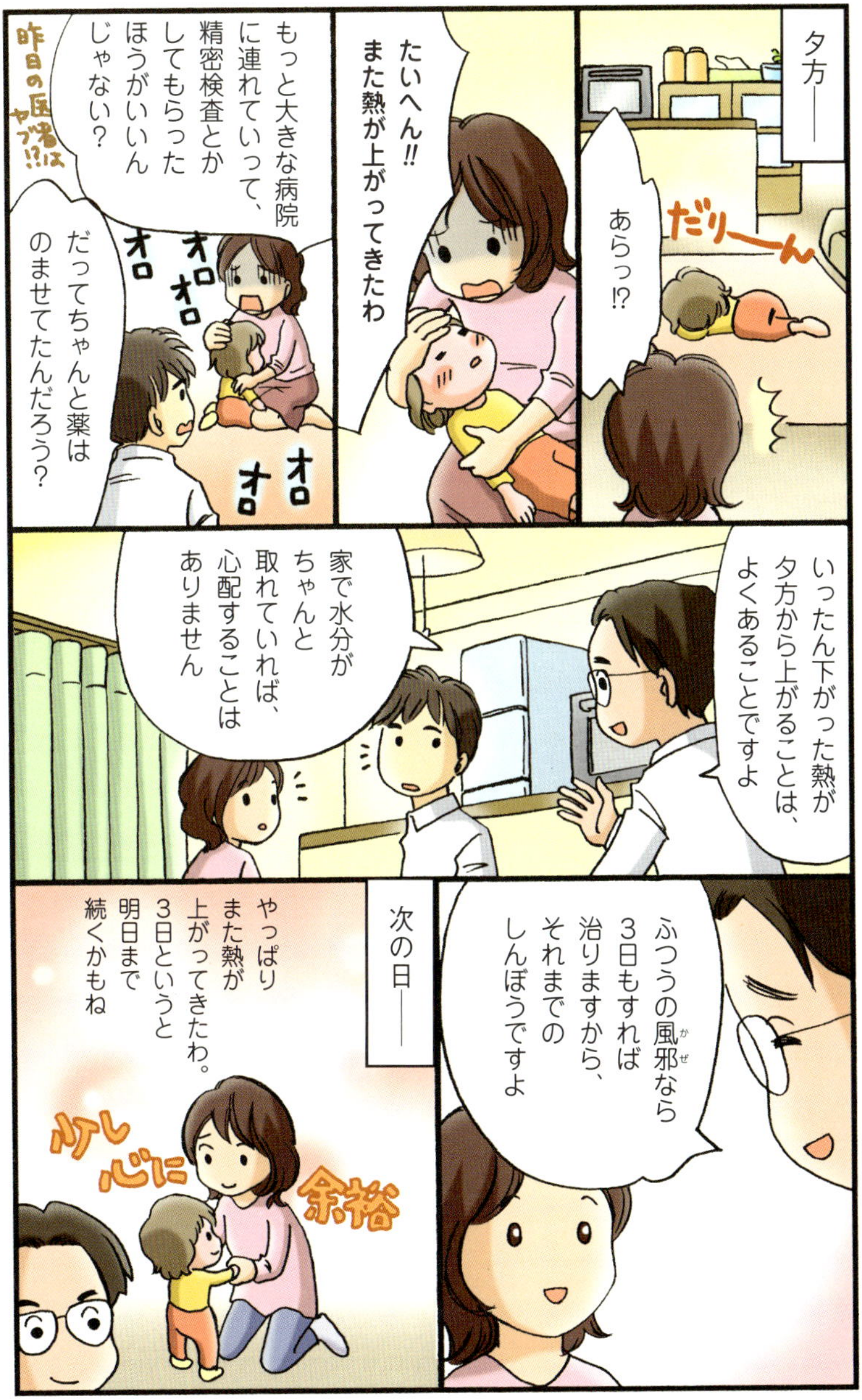
夕方――
だりーん
あらっ!?
たいへん!!
また熱が上がってきたわ
もっと大きな病院に連れていって、精密検査とかしてもらったほうがいいんじゃない?
昨日の医者はヤブ!?
オロオロ
オロオロ
だってちゃんと薬はのませてたんだろう?
いったん下がった熱が夕方から上がることは、よくあることですよ
家で水分がちゃんと取れていれば、心配することはありません
ふつうの風邪《かぜ》なら3日もすれば治りますから、それまでのしんぼうですよ
次の日――
やっぱりまた熱が上がってきたわ。3日というと明日まで続くかもね
少し心に余裕

知っててよかった 7

ホームケアのキーワードは、「水」

子どものケアで大事なことが、もう一つあります。

それは**「体に水の潤《うるお》いを与《あた》えること」**です。

キーワードは、「水」です。

熱が出たときも、セキが止まらないときも、鼻水が多いときも、下痢《げり》がひどいときも、お通じで困ったときも、お肌《はだ》のトラブルに悩《なや》まされるときも、やけどをしたときも、転んで擦《す》りむいたときも、**カギは「どれだけ水をうまく使うか」です。決して「薬をのませること」ではありません。**＊

これから発熱、セキ・鼻水、嘔吐《おうと》、下痢《げり》の症状《しょうじょう》ごとに具体的なケアを見ていきたいと思います。

いいきもち
体に水の潤いを……

＊医師が処方した薬は、指示どおりにのませてください。

コラム

ヒトは水でできている

人間の体は、ほとんどが水でできています。ふつうに生活をしていても、発汗《はっかん》や呼吸で気づかないうちに体の水分が失われていきます。ですから、毎日飲んだり、食べたりして水を補給し、過剰《かじょう》に取り入れた水は尿《にょう》として排出《はいしゅつ》しているのです。

　激しい運動や病気で体の水が2～3パーセント*失われると、のどの渇《かわ》きという注意報が出され、4～5パーセント*失われると、疲労《ひろう》感《かん》・脱力感《だつりょくかん》・頭痛・めまいといった警報が出

されます。水の変化に体は敏感《びんかん》に反応《はんのう》して、体の水を一定に保とうとしているのです。

ヒトは水なしには生きていけません。体温を一定に保つのは水の役割です。肺で酸素を取り入れて二酸化炭素を出すにも、栄養や酸素を体のすみずみまで運ぶにも、消化吸収を助け、新陳代謝《しんちんたいしゃ》を活発にし、老廃物《ろうはいぶつ》を体の外に出すにも、水は欠かせない物だからです。

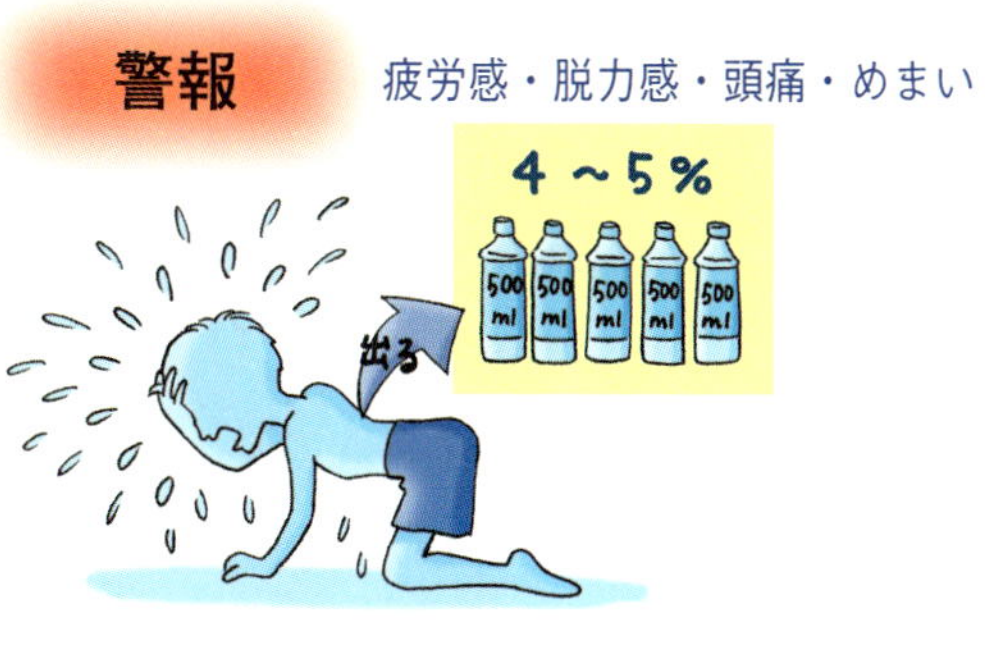

＊体重に対するパーセンテージ。体重50キログラムの人なら、2~3パーセントは、500ミリリットルのペットボトル2~3本分の水。

体のどんな場所に侵入した敵とも闘う、リーダー的存在。

ハデに闘うので、周りの人をハラハラさせることがよくある。

朝に弱いので、昼寝のあとから夕方に元気になる。

発熱は、ウイルスや細菌と闘っている証拠

あそぼ
お熱があるから後でね

熱が出ても、あわてないで

小児科を受診《じゅしん》される理由でいちばん多いのが「発熱」です。ママやパパを不安にさせる、子どもの症状《しょうじょう》の代表格ですが、実は、発熱はワルモノではなく、病気の原因（ウイルスや細菌《さいきん》）と有利に闘《たたか》うための防衛反応《ぼうえいはんのう》なんです。人間が快適に活動できる体温は、実はウイルスや細菌《さいきん》にとっても居心地《いごこち》のよい温度。体温が上がると、ウイルスや細菌《さいきん》も活動しにくくなります。また逆に、体温の上昇《じょうしょう》とともに、免疫細胞《めんえきさいぼう》は活性化されるので、体温が高いほうが、体にとっては都合がよいのです。**ウイルスや細菌《さいきん》と闘《たたか》うために、脳が指令を出して、体温を上げている**のだということがわかれば、少しは心が楽になるのではないかと思います。

2歳ごろまでは、37・5度未満は平熱です（38・0度以上が発熱で、37・5〜37・9度はグレーゾーン）。入浴・哺乳《ほにゅう》・食

発熱の目安

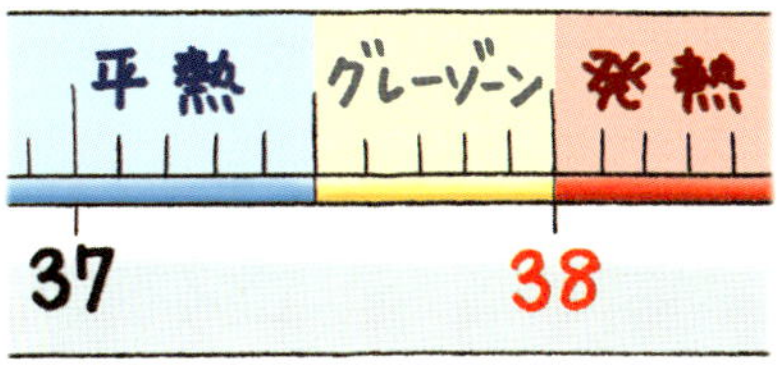

（体温計）

事の直後や、泣いたり、体をよく動かして遊んだりしたあとは、体温が高くなっています。37度台でもあわてず、落ち着いてからもう一度、体温を測りましょう。

子どもは40度を超えることがあります

子どもの発熱が大人と違《ちが》うのは、体温が高くなりやすい点です。時には40度を超《こ》えるので、体温計を見ただけで気が遠くなってしまうかもしれません。大人で40度を超《こ》えることなんて、まずありませんよね。なぜ、こんな違《ちが》いが出るのでしょう。

それは、子どもは体温の調節機能が未熟だからだといわれています。成長して、調節機能が成熟すると、高熱

眠くなった
子どもは
あったかい
ほわわん
かっくん

を出すこともなくなります。

急いで受診すべきか迷ったときは……

「発熱はワルモノではない」とわかっていても、しんどそうな子どもを見ると、どうしても心配になります。すぐに受診《じゅしん》すべきか、翌朝まで家で休ませたほうがいいのか、迷う場面は本当に多いですよね。受診《じゅしん》するとなると、待ち時間や、「別の病気をもらうのでは？」という不安も出てきます。

目安は、生後3カ月を過ぎていて、機嫌《きげん》がよければ、熱が出ても急ぐ必要はありません。「機嫌《きげん》がよければ」とは、「『食べる（飲む）・寝《ね》る・遊ぶ』がだいたいふだんどおりできていれば」ということです。だれが言い始めたのかわかりませんが、急いで受診《じゅしん》するかどうか判断するポイントをうまく表していると思います。

赤ちゃんは調子が悪くなると、母乳やミルクを飲む量が減ります。寝《ね》つきが悪くなった

子どもは体温の調節機能が未熟なので、すぐに高熱になります

り、グズって途中《とちゅう》で目覚めたりします。周りの大人やおもちゃに関心を示さなくなり、手足の動き、泣き方がおとなしくなります。赤ちゃんは正直です。大人のようにつらいのをガマンして笑顔《えがお》を作ったり、バリバリ動き回ったりするようなことはありません。そういう点では、とても理解しやすい存在なのです。

「生後3カ月未満の発熱は、特に注意を！」とよくいわれるのは、生まれて3カ月の間は、特に「抵抗力《ていこうりょく》が弱い＝防衛反応《ぼうえいはんのう》が弱い＝症状《しょうじょう》が出にくい」ので、病気の始まりには、発熱以外の症状《しょうじょう》がなく、機嫌《きげん》がよいことがあります。「食べる（飲む）・寝《ね》る・遊ぶ」だけでは判断材料が少ないので、慎重《しんちょう》を期して、急いで受診《じゅしん》することが勧《すす》められるのです。必ずしも重い病気ではないので、むやみに心配する必要はありません。

最後に、**ママの「何かしらふだんと様子が違《ちが》う」という直感も大切にしてほしい**ですね。「日ごろからわが子の体調に心を配り、わずかな変化にも気づく親の観察力は、時として小児科医より優れていることがある」といわれているくらいですから。「急いで受診《じゅしん》したけど、何でもなかった」ということもあるでしょうが、何事も失敗を重ねて上達していくのです。そういう受診《じゅしん》なら、「大いにけっこう！」と言いたいですね。

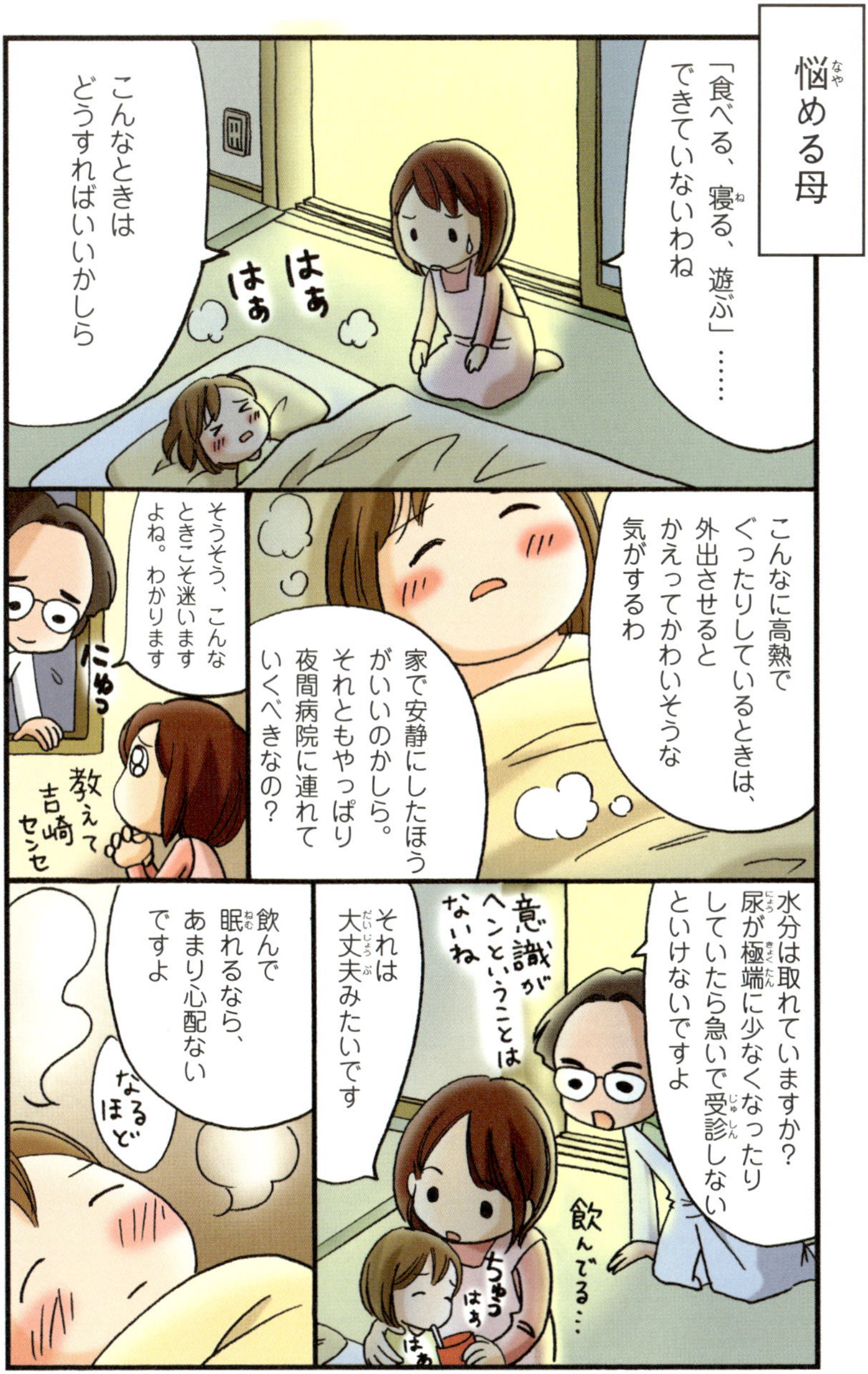

悩《なや》める母
「食べる、寝《ね》る、遊ぶ」……
できていないわね
はぁ
はぁ
こんなときは
どうすればいいかしら
こんなに高熱で
ぐったりしているときは、
外出させると
かえってかわいそうな
気がするわ
家で安静にしたほう
がいいのかしら。
それともやっぱり
夜間病院に連れて
いくべきなの？
そうそう、こんな
ときこそ迷いますよね。わかります
にゅっ
教えて
吉崎
センセ
水分は取れていますか？
尿《にょう》が極端《きょくたん》に少なくなったり
していたら急いで受診《じゅしん》しない
といけないですよ
意識が
ヘンということは
ないね
それは
大丈夫《だいじょうぶ》みたいです
飲んでる…
ちゅう
はぁ
はぁ
飲んで
眠《ねむ》れるなら、
あまり心配ない
ですよ
なるほど

夜中の発熱は多くの人が迷うところですが、すぐに連れていけば早く治る、とは限らないんですよ
もちろん、連れていかなかったら治らないということもないし
えっそうなの？
迷ったら、ご自分が熱が出たときのことを想像してはいかがでしょう。
つらいときは自宅で安静にして、少し落ち着いてから病院へ行きませんか
子どものこととなると心配なんですよね
確かに！
自分だったら夜中に病院へ行こうなんて思わないわ
言われてみたらそうよね……
やっぱり心配なんですね。そんなに心配されるくらいなら行ったほうがいいですよ
まずはお母さんの心配事を解決しなきゃ安心して看病できませんからね
お父さんもいます!!
はじめまして！
よし、決めた！
連れ出すのはかわいそうだけど、変な病気だといけないから行く!!
それがいいです
わかった！準備してくる
風邪《かぜ》でしょう
水分をこまめに与《あた》えてください
やっぱりふつうの風邪《かぜ》なんだ
安心
ほっ

＊「自分だけで判断するのは不安……」というママには、
こんな電話相談やサイトがあります。

小児救急電話相談事業

http://www.mhlw.go.jp/topics/2006/10/tp1010-3.html

プッシュホンで「#8000」と押してね

＃8000 通話料のみで相談できます。

（相談できる時間帯は、各都道府県によって違いますので、上記サイトを確認してください。
・沖縄県を除く全国で実施されています。
・プッシュ回線でない（#が使えない）場合は、別の番号が用意されています。）

こどもの救急～おかあさんのための救急＆予防サイト～

（厚生労働省研究班・社団法人日本小児科学会　監修）

http://www.kodomo-qq.jp/

詳しい症状を入力すると受診の目安を示してくれるよ

解熱剤で病気は治りません

解熱剤《げねつざい》を使わなくても、キチンと病気は治ります。ですから、解熱剤《げねつざい》を使う必要はないんです。でも、解熱剤《げねつざい》の効果が出て熱が下がっている間は、少し楽になって水分や睡眠《すいみん》が取れることがあります。それを期待して使うのはよいと思います。

「高熱が続くと、頭がおかしくなるのでは？」と思って熱を下げようとする人がありますが、その心配はないですよ。前にも述べましたように、40度程度の高熱でも、脳はダメージを受けないことが知られています。よく脳が侵《おか》されると恐《おそ》れられている〝髄膜炎《ずいまくえん》〟＊も、決して熱が原因なのではありません。細菌《さいきん》が髄膜《ずいまく》に入って起こる、風邪《かぜ》とはまったく違《ちが》う病気です。

発熱は防衛反応《ぼうえいはんのう》ですから、薬で抑《おさ》えるとかえって治りが遅《おそ》くなるおそれがあります。また、病気が治って熱が下がったのと、薬で発熱を抑《おさ》えたのは、区別ができません。病気が治っていないのに、治ったと勘違《かんちが》いすることもあるでしょう。単なる風邪《かぜ》なら問題にならないのですが、万が一、重い病気だった場合は、たいへんなことになってしまいます。火災報知機がウルサイからといってスイッチを切ったら、火災が広がって大惨事《だいさんじ》になってしまうのと同じです。

また、**解熱剤《げねつざい》の効果は一時的なものです。効果が切れるとまた体温が上がってきますが、病状が悪化してのことではありませんので、心配しないでください。**発熱は通常、2、3日は続くものです。体温を上げる力が解熱剤《げねつざい》の力より強いと、ほとんど解熱《げねつ》効果《こうか》が得られませんし、平熱まで下がらないこともあります。幼児は高熱でも走り回っていることがあります。元気そうなら、解熱剤《げねつざい》は使わないようにしましょう。

＊乳幼児の〝細菌性髄膜炎〟の3分の2が、「インフルエンザ菌b型」という細菌によって起こります。この細菌に対するワクチン（ヒブワクチンと呼ばれています）が、平成20年12月より任意接種として導入されました。

急に熱が出たときに起こすけいれん

熱性けいれんは、急に高熱が出たときに起こります。さっきまで元気に走り回っていた子どもが、突然《とつぜん》けいれんを起こすのです。けいれんを起こして初めて発熱に気づくこともあります。防ぎようのないことですから、「子どもにけいれんを起こさせてしまった！」と、自分を責める必要はありませんよ。

また、「けいれんを起こすのは特別な病気を持ったごく一部の子どもだけ」と思っている人がありますが、**日本人は約7～8パーセントが熱性けいれんを経験するといわれており、ごくありふれた病気なんです。**

特に初めてけいれんを見たときは、だれしもあわててしまうものですが、熱性けいれんは5分以内に自然に治まります。また、命にかかわる病気ではありませんので、落ち着いて子どもの様子を見ましょう。舌をかんだりするなどと思われるかもしれませんが、そんなことはありません（白目をむいていたり、口から泡《あわ》を吹《ふ》いてよだれが垂れていたり、口元がピクピク動いていたり、腕《うで》や足がリズミカルに動いていたりと、さまざまです。詳《くわ》しい対処は197ページの「応急手当」を見てください）。

けいれんが5分以上続く場合や、けいれんが止まっても意識がハッキリしない、視線が合わない、様子がおかしいときは、急いで医師の診察《しんさつ》を受け、熱性けいれんか他の病気かを区別する必要があります。救急車を呼んだほうがよいでしょう。

命にかかわる病気ではないので、落ち着いて様子を見ましょう

風邪のとき、お風呂に入れていいって、本当？

「お風呂《ふろ》に入れて汗《あせ》をかかせなさい」と言う人もいれば、「やめておきなさい」と言う人もいる。どちらを信じればよいのか、困ってしまいますよね。

お風呂《ふろ》に入れても風邪《かぜ》が悪化することはありませんし、お風呂《ふろ》に入れて汗《あせ》をかかせると風邪《かぜ》が早く治るということもありません。ですから、子どもがお風呂《ふろ》に入りたがるかどうかで決めていいんです。ただ、お風呂《ふろ》に入れる場合、熱いお湯や、長いお風呂《ふろ》には注意してくださいｏ 熱がこもってしんどくなりますし、たくさん汗《あせ》をかき、体の大切な水分まで失われることになります。

お風呂《ふろ》に入れない場合は、汗《あせ》が気持ち悪いなら、軽くシャワーで流してもよいですし(今度は体が冷えないように気をつけて!)おしぼりでふくという手もあります。

「お風呂《ふろ》はダメ」というのは、自宅にお風呂《ふろ》がなく、銭湯に行く人が多かった時代の名残《なごり》だとか。銭湯帰りに湯冷《ゆざ》めしてしまうというワケです。

また、「汗《あせ》をかかせて治しなさい」という根深い誤りは、「汗《あせ》をかくのは体にいい」という固い思《おも》い込《こ》みから出ているのでしょう。確かに、元気なときにフィットネスで汗《あせ》を流せば爽快《そうかい》ですが、風邪《かぜ》のときに無理やり汗《あせ》を流しても、よいことは何もありません。それどころか、体から多くの水が失われるので、病気の身に追い打ちをかけることになります。

体には、「風邪《かぜ》が治って平熱に戻《もど》るときに汗《あせ》をかく」という自然現象があります。体温を高く保つ必要がなくなったので、汗《あせ》で熱を体外に逃《に》がす仕組みが働くのです。**風邪《かぜ》が治ったから汗《あせ》が出たのであって、汗《あせ》をかくと風邪《かぜ》が治るのではありません。**汗《あせ》をかくところだけマネをして風邪《かぜ》を治そうとしても、無理な話ですね。

風邪なのに
おフロに入っていいの？
長ブロじゃないし、
大丈夫！

お、おかしいと思ったら熱が40度!?
見たことのない数字!
ぐったり
お父さん! 早く熱を下げるようなモノ! とにかく何か買ってきて!!
よっしゃ!
だしっ
熱を下げるようなモノ?
高熱でぐったりしていると、早く熱を下げて楽にしてやりたくなるのが親心ですが
応援してください
今、お子さんの体は敵と闘《たたか》っている真っ最中なんですよ。
高熱になるのは、ウイルスが増えないようにするためなんです
じゃあ、無理に熱を下げる必要はないってこと?
そのとおり
ピンポン
ただいまー!っ
おーい、何かわからんから、いろいろ買ってきたぞー
じーっ
解熱剤《げねつざい》を使えば、確かに熱は下がりますが、病気が治るということではありません
早く下げたい
熱
に効く
むしろ熱が下がればその間ウイルスが有利になりますから、
これは一時的でも体を楽にしてやりたいときに使いましょう
なるほど
ダレですか

それじゃあ私たちは
この子に何をしてやれば
いいんでしょうか
ホームケアの
ポイントは、子ども
が過ごしやすく
することです
氷枕《こおりまくら》にすれば
気持ちいいですし
冷却
シート
氷
冷却《れいきゃく》シートも
気持ちいい
ですよね
ぴたっとナ!
ひえ
ひえ〜
ちなみにこれは熱を
下げるためのもの
じゃないんですよ
ガーン!!
そうだったのか
パパ
食べないでね
ゼリーは
おいしいから
オッケー♪
はっ
ううっ
はあ
なんだか
いよいよ
つらそうに
なってきましたね
はあ
はあ

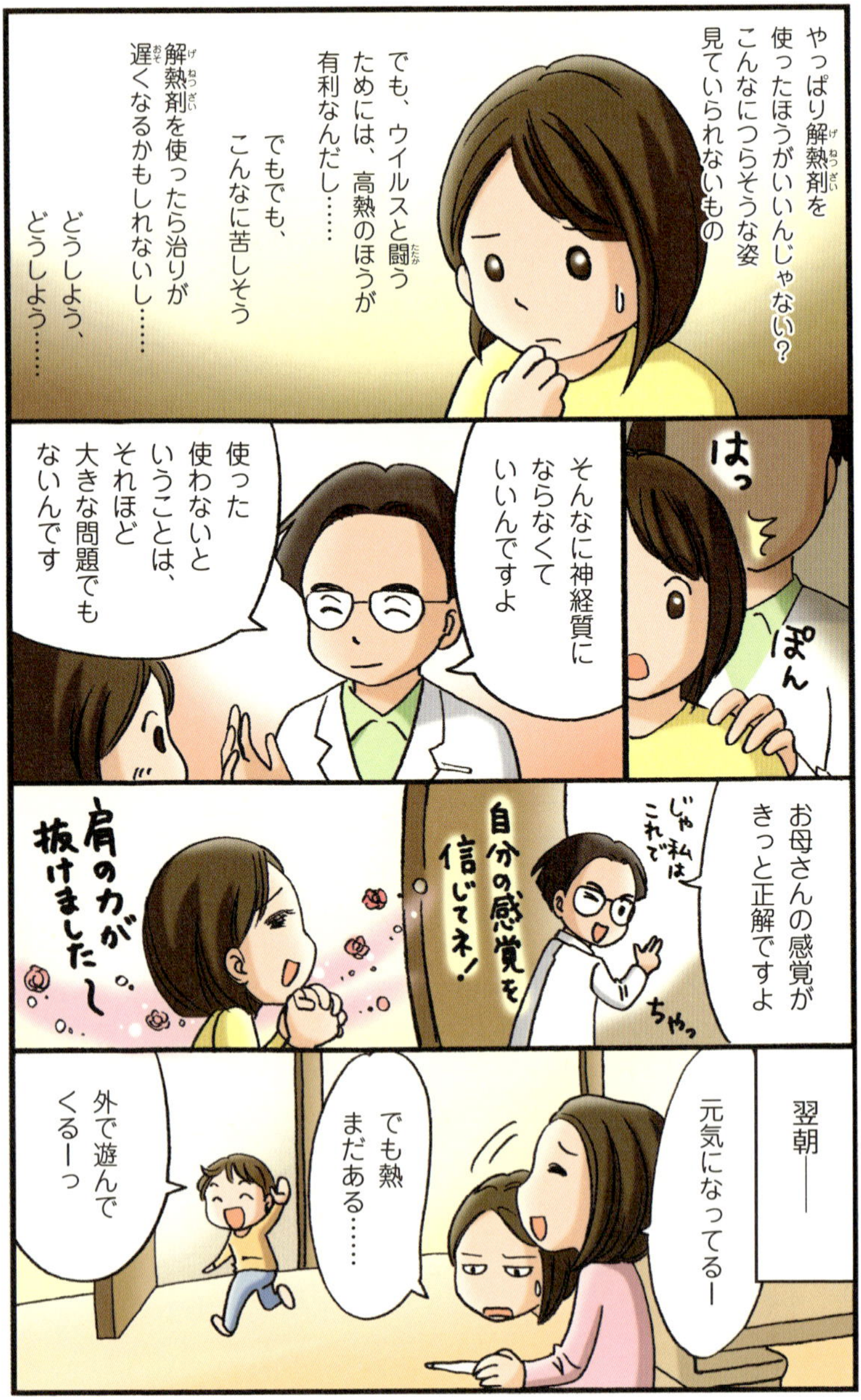
やっぱり解熱剤《げねつざい》を使ったほうがいいんじゃない？こんなにつらそうな姿見ていられないもの
でも、ウイルスと闘《たたか》うためには、高熱のほうが有利なんだし……
でもでも、こんなに苦しそう
解熱剤《げねつざい》を使ったら治りが遅《おそ》くなるかもしれないし……
どうしよう、どうしよう……
はっ
ぽん
そんなに神経質にならなくていいんですよ
使った使わないということは、それほど大きな問題でもないんです
お母さんの感覚がきっと正解ですよ
じゃ私はこれで
ちゃっ
自分の感覚を信じてネ！
肩の力が抜けましたー
翌朝——
元気になってるー
でも熱まだある……
外で遊んでくるーっ

何言ってるの
えーー
熱があるんだから布団で休んでなきゃダメでしょう
やだっ行く
あっこら
待て
待てーー
やだー
ドタバタ
遊ぶーー!
ぎゅうっ
休んでろー
注 コレはダメです
もしもし
あら、まあおほほ
この年ごろの子は、熱があってもジッとしていられないんでしょうね
ぎゃーぎゃー
じたばた
遊びたいと思うくらい元気なんですから、ほぼ健康体じゃないですか
安心していいですよ
でも子どもは夕方から熱が上がることが多いので、すぐ家に入れるようにするとか
ママの目の届く範囲《はんい》なら大丈夫《だいじょうぶ》ですよ
はい
3日後――
全快
ぺかーっ
よかった……
そうだよね風邪なんだから治るよね
あ〜疲《つか》れた。とりあえず次からは肩《かた》の力抜《ぬ》こ
ぐったり
38度…
かーちゃんおねつあったー
こんどは弟かーっコラーそんなに走っちゃダメー
お母さんは心配せずにいられないものなんですね
母に感謝……

● 子どもが気持ちよく過ごせるようにするのがポイント。

きもちいい
直接風が当たらニャイよう注意するニャ
ピッ
エアコンは、快適な温度に設定

熱の上がり始め

ガタ
ガタ
寒い
寒い

保 温

衣服・布団を掛けるなど

熱が上がり切る

保温は終了

本人が気持ちよさそうなら、氷枕や冷却シートを使ってもよい

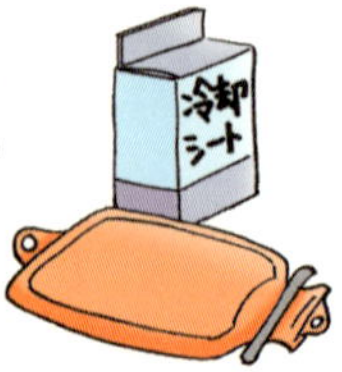
冷却シート

(注) 冷却シートがはがれて口や鼻をふさぎ、窒息することがあります。特に乳児に使う際は、じゅうぶん注意してください。

●水分補給はこまめに、食事は「子どもが好む物を与《あた》える」のが基本です。

飲んで 飲んで
麦茶
イオン
MILK
りんご
おはよう
食事の時間にこだわらずこまめに水分を取るニャ
乳児なら母乳、ミルクだけで大丈夫だニャ
ちゅう

栄養のことは考えず欲しがるモノだけでいいニャン
水分が取れていれば心配ないニャ
ごはんいらない
まぐまぐ
せんべい
アイス
プリン
ゼリー

数日以内には、
また元の食欲に
戻ります

● 熱があるからといって、特別に体を冷やしたり、厚着で汗《あせ》をかかせたりする必要はありません。汗《あせ》をかきすぎると、脱水《だっすい》の心配が出てきます。

× とにかく暖めて汗をかかせる

寒い
ぞく ぞく
あら、お熱。たいへん!!
セーター着て、ジャンパーも着て、大丈夫《だいじょうぶ》? まだ寒い?
今、毛布持ってくるね
はぁ はぁ
熱があるんだから、とにかくあったかくしてなきゃダメ
熱が上がり切った→
はぁ はぁ
先生お熱が
意識モーロー
点滴準備!!
汗かきすぎ!!

○寒いと言えば暖かくし、暑いと言えば涼しくする。水分補給も忘れずに

まだぞくぞくする?
毛布も掛《か》けたほうがいいね
熱が上がり切ったみたい
暑かったら毛布は掛《か》けなくていいよ。セーターも脱《ぬ》ごうね
お茶飲める?
お医者さんに行く準備しなきゃ
お茶も持っていこう

セキ 症状別 |GREEN|

- 気道に侵入した敵と闘う。
- コンコン、ゴホゴホ、ケンケン、いろいろな姿で登場する。
- 朝と夜に主に活躍する。
- さっきまで爆睡していたかと思ったら、急に目を覚まして騒ぎ立てる。しかし、すぐに再び深い眠りに入る。
- 敵をやっつけたあとも、現場に残っていつまでも騒ぐことがある。

セキは、肺を守る番人

せき止めのんでがんばるか
いろいろたいへんなんだね

セキには「加湿・保温・水分補給」

小さい子のセキは、見ているママにとってもつらく、一刻も早く止めてやりたいと思うものです。でも、セキは鼻から吸《す》い込《こ》んだホコリ、ダニ、タバコの煙《けむり》、ウイルスや細菌《さいきん》などから肺を守ろうとする、体の反応《はんのう》なのです。タンや、誤ってのみ込《こ》んで気道に詰《つ》まりかけた物を、外へ出そうとする働きもあります。もしセキをすることができない人がいるとすれば、その人はたちまち呼吸困難に陥《おちい》ってしまうことでしょう。

とはいっても、「せき込《こ》んで、せっかくのミルクを吐《は》いた」とか、「ようやく眠《ねむ》りかけたのに、セキが苦しそうで起きてしまった」ということはよくあり、やはりママたちの嫌《きら》われ者であることに変わりはありません。ただ、**セキがこじれて肺炎《はいえん》やぜんそくになることはありません**ので、そこは心配しなくて大丈夫《だいじょうぶ》ですよ。あわてず急がず、回復を助けるカギ「加湿《かしつ》・保温・水分補給」で乗り切りましょう。

ゲホッ
ゴホッ
ゴホ
だっ大丈夫《だいじょうぶ》!?
ああっ
ゴホッ
ガホッ
ゴホッ
子どものセキって本当に心配。できることなら代わってやりたい
こんなに小さな体で……
すごいセキね。大丈夫《だいじょうぶ》?
ハイ、5日分の薬はのませたんですけど……
全然よくなってないかも
ゴホ
ゴホ
がーっ
けっこう続いてるね。こじらせて肺炎《はいえん》にでもなったらたいへんだね
え!?
セキをこじらせて肺炎《はいえん》になることはありませんよ
ご心配なく
薬をのんだらすぐにセキが止まる、というものでもないんです
はい
こんなときはあせらず、「加湿《かしつ》、保温、水分補給」で乗り切りましょう
すー

セキが止まらない代表的な理由

「薬をのませているのに、セキや鼻水が止まらない」という声をよく聞きます。冬の時期は、「1カ月近くものませていたけど、止まらなかった」というママさえいるくらいです。セキを止めたいという思いが、いかに切実かがわかります。

セキや鼻水が続く理由の一つは、まだ子どもさんが小さいからでしょう。特に3歳以下のお子さんは、セキや鼻水が続くと言って受診《じゅしん》される方が多いんですよ。寝《ね》ついてすぐや、明け方にひどくなりませんか？　よく聞いてみると、のどの辺りからゴロゴロと音が聞こえたりします。これは、鼻水がのどに垂《た》れ込《こ》んで、タンのようになっているのです。この「タンのようになったもの」を体の外に出すためにセキをしているのです。

発熱と同じで、セキは体を守る大切な反応《はんのう》。薬でセキを止めようとするのは、「セキでタンを追い出す」という体の正常な反応《はんのう》を止めようとする行為《こうい》ですから、あまりお勧《すす》めできません。こんなときは、

1. 鼻水を吸い取る（鼻水がひどい場合）

2. 加湿《かしつ》・保温でタンを出しやすくする

など、鼻水とタンに対処することが優先されます。いくらセキ止め薬を使っていても、治まるものではないことを、まず知っておいてもらいたいと思います。

7日以上続くセキは受診を

ひどいセキはもちろんですが、「元気そうだけどセキがよく出るわ」というときも心配になりますね。**寝《ね》つきにくかったり、途中《とちゅう》で目が覚めたりする場合は、早めに受診《じゅしん》したほうがいいでしょう。よく眠《ねむ》れているようでも、7日以上続くセキは、「単なる風邪《かぜ》、そのうち治る」で済ませ**

タンのセキが続いたら……
① 鼻水を吸い取る（かむ）
びーーんっ
② 加湿《かしつ》・保温でタンを出しやすくする
ズル
薬だけで治まるものではありません

ず、受診《じゅしん》しておいたほうがよいですね。

ただ、受診《じゅしん》すれば、よく効く薬がもらえて、すぐにセキが止まる、というものではありません。治るのに時間がかかることもあります。

ゼェゼェが出やすいのは、ぜんそく？

風邪《かぜ》を引いたお子さんの胸や背中に耳を当てると、「ゼェゼェ」「ヒューヒュー」という音（喘鳴《ぜんめい》といいます）が聞こえませんか？　気管支が炎症《えんしょう》を起こし、粘膜《ねんまく》がはれて気道が狭《せま》くなっているのです。狭《せま》くなった気道を空気が流れるときに音が発生します。ちょうど、タテ笛を吹《ふ》いているようなものですね。風邪《かぜ》のときだけでなく、ダニやホコリを吸《す》い込《こ》んで喘鳴《ぜんめい》が出ることもあり、喘鳴《ぜんめい》のほかにセキが出ることも多いんです。

気管支の炎症《えんしょう》が慢性的《まんせいてき》に続いている病気を、ぜんそく（正式には気管支喘息《きかんしぜんそく》）といいます。慢性的《まんせいてき》なものですから、ある程度の期間をかけてみないと、ぜんそくと診断《しんだん》することはできません。

では、「診断《しんだん》されていないけれど、喘鳴《ぜんめい》やセキが出やすい子」はどうなるのでしょうか。それが「気管支が弱い子」なのです。

2歳ごろまで喘鳴《ぜんめい》が繰《く》り返《かえ》し出ていたとしても、体の成長とともに気道が広くなり、小学校に入るころには、まったくといっていいほど出なくなる子が多いんです。一部、慢性《まんせい》的《てき》に続いてぜんそくと診断《しんだん》される子もいます。残念ながら、早い段階でどちらかを見分けるのは難しいですが、検査をすれば、診断《しんだん》の参考情報にはなります。

また、たとえぜんそくと診断《しんだん》されても、医師のもとで適切な治療《ちりょう》を根気よく続ければ、子どものぜんそくの多くは、遅《おそ》くとも中学に入るころまでには治ります。

かれこれ
半年も
小児科に通ってるわ
この子の将来は
どうなるのかしら……

小学生になるまでには、
気にならなくなるケースがほとんどです

加湿と保温が効果的

「加湿《かしつ》・保温」は、のどや鼻の粘膜《ねんまく》を乾燥《かんそう》から守り、バリア機能を強化。ウイルスの侵入《しんにゅう》を防ぎます

加湿器《かしつき》をつける

お風呂《ふろ》に入れる

マスクをする

タオルを口元に当ててもよい

寝るときにしてもいいニャ
zzz

ちん

こまめに鼻をかむ。小さい子は鼻を吸い取る

鼻水がのどに垂れて、
せき込むことも多い

タンがからんだセキのときは水分を取るとタンが切れやすくなるニャ

ゴクゴク

水分を取る

やっぱコレだニャ
上体起こし
うつぶせ

横になると、セキがひどくなったり、息がゼーゼー苦しいときがあります。上体を起こしたり、うつぶせになったり、楽な姿勢で休んでください。

鼻に入った
敵と闘う。

おせっかいやきなのか、のどに顔を出すことがあり、セキとよくけんかする。

せっかく敵をやっつけて鼻から出てきたのに、嫌がられることが多い。

鼻水で、細菌もホコリもシャットアウト！

鼻は「加湿機能つき空気清浄機」

鼻は、空気を吸《す》い込《こ》んだり、吐《は》き出《だ》したりする場所ですが、ただ空気を通しているのではありません。加湿《かしつ》と保温をして、湿《しめ》った、温かい空気を気管に送り届けているのです。乾燥《かんそう》した冷たい空気は、気管の粘膜《ねんまく》を乾燥《かんそう》させ、冷やします。すると粘膜《ねんまく》は弱くなり、ウイルスや細菌《さいきん》が侵入《しんにゅう》しやすくなります。鼻は、それを防ぐための「加湿器《かしつき》」なのです。

空気の中には、ホコリやゴミ、ウイルスや細菌《さいきん》がいて、息をすると鼻から入ってきます。鼻毛はそれを捕《つか》まえて、気管に入らないようにしています。

また、鼻の穴の奥《おく》には「鼻《び》くう」という場所があります。そのヌルヌルした壁《かべ》に細菌《さいきん》やホコリがつくと、洗い流そうとして、ネバネバした水が出ます。これが鼻水で、**細菌《さいきん》などは鼻水にくっついて外に出されるのです。**

気管に入る空気をキレイにするのですから、鼻は「空気《くうき》

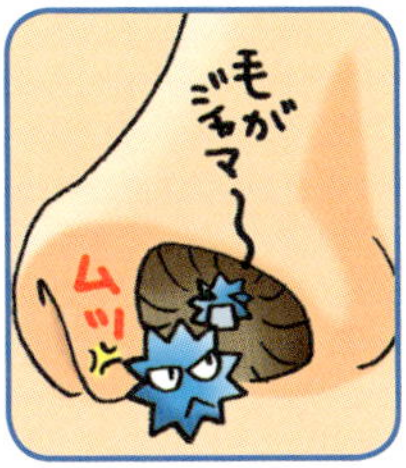

清浄機《せいじょうき》」の働きも備えているのです。

人間は、いろいろな生き物と共存して生きています。害虫と思われる物でも、根絶してしまうと生態系が乱れて、ついには人間の存在が脅《おびや》かされる事態になります。**鼻水も、汚《きたな》いからといって薬で徹底的《てっていてき》に止めようとするのは、体のシステムを乱して、かえって体によくないんですね。**

鼻は働き者

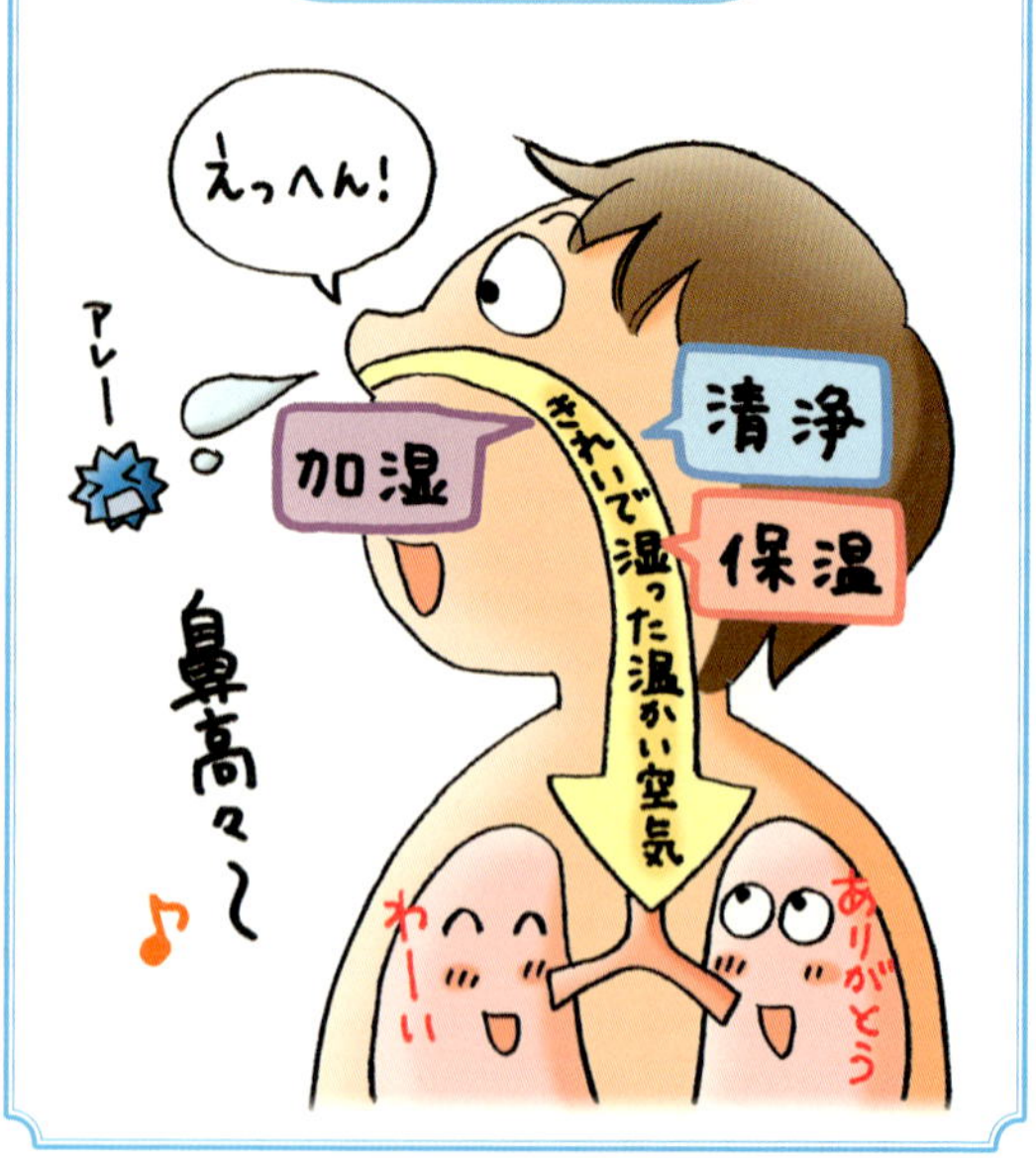

えっへん！
アレー
加湿
清浄
保温
きれいで湿った温かい空気
鼻高々～♪
わーい
ありがとう

ミッション
コンプリート！

嘔吐 症状別 |YELLOW|

朝・昼・夜、
いつでも登場するが、
他の４人と比べ、活躍
する時間は短い。
いろんな場面で
登場する。
主におなか（胃）
を守る。
嘔吐（YELLOW）
が登場すると、下痢（PINK）
も追いかけてくる。

吐くのは、おなかに有害物が入ったサイン

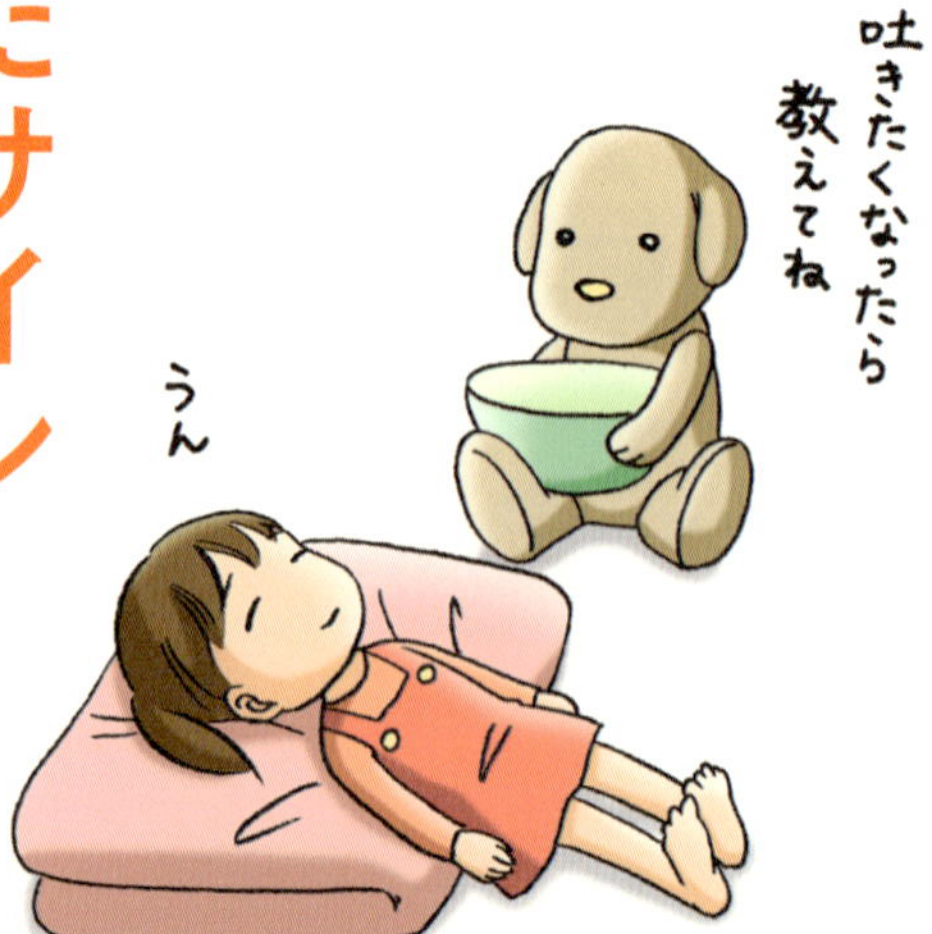

吐きたくなったら教えてね
うん

「吐《は》く」原因で、多いのは「おなかの風邪」

「吐《は》く」といっても、原因はいくつもあります。ひどいセキで勢い余って嘔吐《おうと》することもあれば、他人が吐《は》いているのを見て気持ち悪くなる「もらい嘔吐《おうと》」や、乗《の》り物酔《ものよ》いの嘔吐《おうと》もあります。中でも、いわゆる「おなかの風邪《かぜ》」の急性胃腸炎《きゅうせいいちょうえん》は、子どもが吐《は》く原因として多いものです。ウイルスがおなかに入って起こり、嘔吐《おうと》と一緒《いっしょ》に熱が出ることもあります。原因がおなかにある嘔吐《おうと》の場合、吐《は》くのは、胃に入った有害な物を出す働きと考えられます。ですから、吐《は》くのを止めようとするのは、あまりお勧《すす》めできません。

それよりも、吐《は》いたときに吐《は》いた物でのどを詰《つ》まらせないようにすることが大切です。

吐くのは、胃に入った
有害物を出す働き

吐くのを止めようとするのは、
お勧めできません

吐《は》くときは抱《だ》き起《お》こして背中をさする

○ いつ吐《は》くかわからないときは上体をやや高くして寝《ね》かせ、顔を横向きに

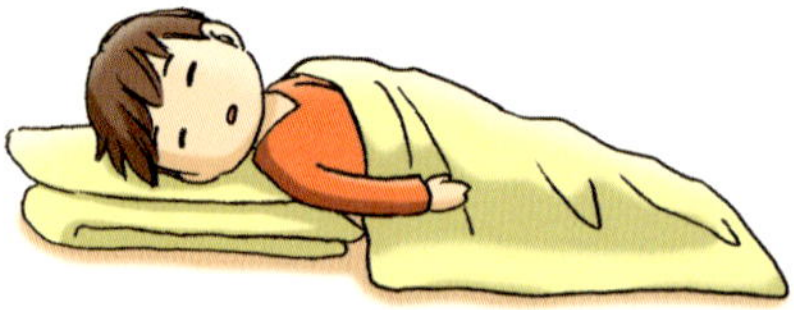

× あおむけで寝《ね》ると、のどを詰《つ》まらせる心配があります

ミルクを大量に吐くことがあります

赤ちゃんは、ミルクを飲ませ過ぎたり、ゲップをしたり、せき込《こ》んだ勢いで吐《は》くことがあります。これは、胃と食道をつなぐ部分の筋肉が未熟なため、いったん胃に入ったミル

クが食道に逆戻《ぎゃくもど》りしやすいからです。体重が順調に増えていれば、この嘔吐《おうと》は病気ではありませんのでご心配なく。

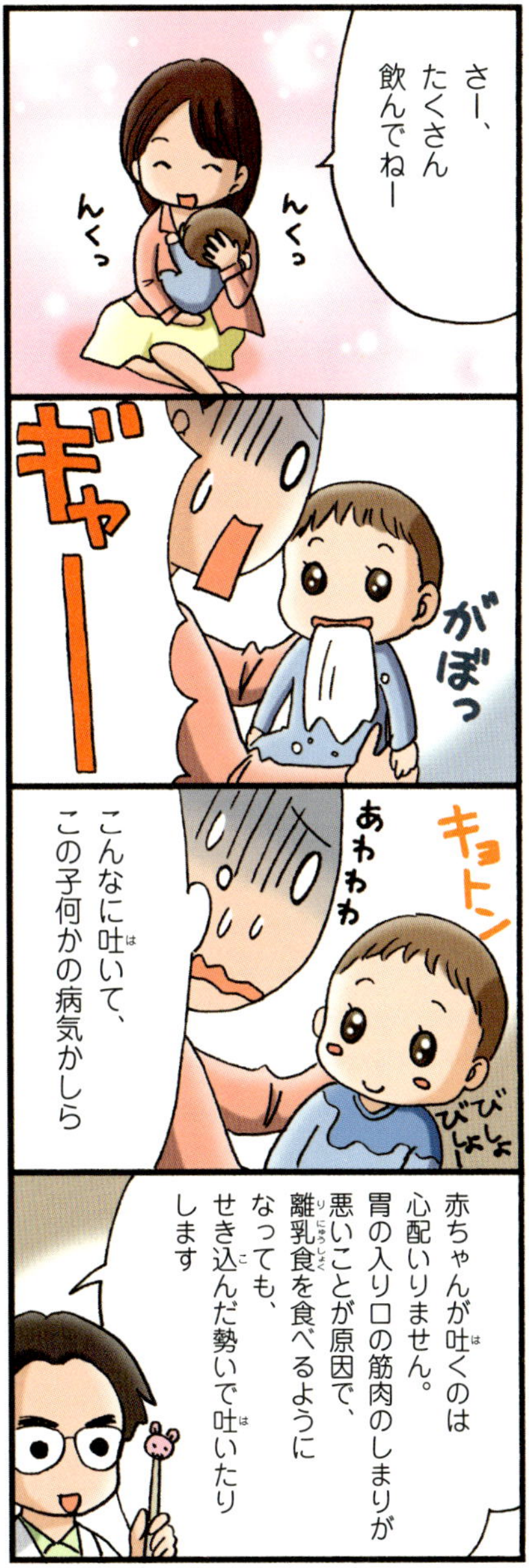

さー、
たくさん
飲んでねー
んくっ
んくっ
ギャー
がぼっ
キョトン
あわわわ
こんなに吐《は》いて、
この子何かの病気かしら
びしょびしょー
赤ちゃんが吐《は》くのは
心配いりません。
胃の入り口の筋肉のしまりが
悪いことが原因で、
離乳食《りにゅうしょく》を食べるように
なっても、
せき込《こ》んだ勢いで吐《は》いたり
します

吐き始めは何も「飲ませない」

「これはおなかの風邪《かぜ》かな？」と思ったら、**吐《は》き始《はじ》めて3、4時間は何も飲ませないようにすることが大切です。**「吐《は》いたときは水分補給が大事」といわれますが、「急いで水分を取らせなさい」ということではないので注意が必要です。胃の中が空《から》になるまで吐《は》けば、それ以上吐《は》くことはありません。あわてて飲ませると、飲ませた分だけ吐《は》く回数が増えてしまいますよ。

✕ 吐くたびに飲食を与える

お昼ごはん みんな 吐《は》いちゃったね
食パン食べられる?
大丈夫《だいじょうぶ》? 何か食べやすい物 おなかに入れておこうか
かわいそうに
ゲー
吐《は》くとのどが 渇《かわ》くでしょ。ジュース飲まない?
また吐《は》いたの?
ヨロ…
お茶飲んで
さっ、病院へ 行こう!!

○吐き始めの3、4時間は無理に飲ませない、食べさせない

あんなにたくさん吐《は》いたのは
おなかにウイルスが入ったせいかもしれないわ
かわいそうに
吐《は》くのはつらいから、しばらくは何も食べないほうがいいわね
お母さんのど渇《かわ》いた。何か飲みたい
んーそうねえ
ほんの少しずつ飲もうね
まず一口からよ
うん

「点滴ですぐに元気になった」は、本当？

点滴《てんてき》に特別な薬が入っているのではありません。まずはそのことをよく知っておいてもらえたらと思います。点滴《てんてき》を飲みやすいようにアレンジしたのがイオン飲料です。

確かに**嘔吐《おうと》のときは水分補給が大切ですが、少しずつでも口から水分を取れているなら、点滴《てんてき》を受ける必要はありません。**「点滴《てんてき》ですぐに元気になった」という話を聞くことがありますが、それは「水分補給で元気になった」ということです。

子どもは点滴《てんてき》を嫌《いや》がります。吐《は》いてグッタリしているように見えても、点滴《てんてき》をしようとすると、突然《とつぜん》、嫌《いや》がって暴れ始めることがあります。「グッタリしていた」というよりは、体がつらいから「ジッとしていた」んです。

暴れるほど元気な子を押《お》さえつけてまで、点滴《てんてき》をする必要はないでしょう。点滴《てんてき》は、吐《は》きけが長引いて水分が取れない場合に限ると私は思います。

ちょっと待って「吐きけ止めの座薬」

病院で「吐《は》きけ止《ど》めの座薬」を処方されると、すぐに使うべきなのか迷いますよね。

嘔吐《おうと》は大切な防衛反応《ぼうえいはんのう》ですので、基本的に止める必要はありません。

私が大阪の病院に勤務していたころ、嘔吐《おうと》と下痢《げり》の赤ちゃんが、近くのクリニックから紹介《しょうかい》されてやってきました。紹介状《しょうかいじょう》を見ると「病名は嘔吐《おうと》・下痢症《げりしょう》」と書かれていましたので、思わず「そのままやないか！」と突《つ》っ込《こ》みを入れてしまいました。「嘔吐《おうと》・下痢症《げりしょう》」は「原因は特定できませんが、何しろ吐《は》いて下痢《げり》をしていますよ」という意味です。確かに「嘔吐《おうと》・下痢症《げりしょう》」という病名はあるのですが、嘔吐《おうと》や下痢《げり》がワルモノだという誤解を招くといけないので、私は「おなかの風邪《かぜ》」と保護者に説明することにしています。

おなかの風邪《かぜ》は、数時間もすれば吐《は》きけは徐々《じょじょ》に治まってきます。それまでは何も飲ませたり食べさせたりせず、「待つ」ことが大切です。

その後、少量から飲み物を与《あた》えるとき、吐《は》きけが強くて飲めない場合に、吐《は》きけ止《ど》めの座薬を使います。たくさん食べるためではなく、少しでも水分を取るためです。このようにすれば、自宅で吐《は》きけ止《ど》めの座薬を使う機会は、あまりないでしょう。

無理に飲ませない、食べさせない。

水分を与《あた》えるコツは、少量をこまめに。大丈夫《だいじょうぶ》なようなら、徐々《じょじょ》に量を増やすことです。

一度にたくさん飲ませると、吐《は》いてしまうことがありますので、注意してください。

水分が取れるようになったら、食事も少しずつ、様子を見ながら始めてください。

●正しい水分の取り方

これだけ……？
正しい飲み方は一口から始めるんだって
5分しかたってないけど？
次は二、三口どうぞ
こまめに飲むのがいいのよ
もっとたくさん飲みたい！
一度にたくさん飲むと、また吐《は》くかもしれないから少しずつにしよう
乳児なら母乳（ミルク）を少しずつ何度も与《あた》えてください
早くよくなるといいネ

● ウイルス性《せい》胃《い》腸《ちょう》炎《えん》の場合、嘔《おう》吐《と》物《ぶつ》や便からの感染が非常に多く、処理には注意が必要です。
汚染された物は、熱や塩《えん》素《そ》系《けい》漂《ひょう》白《はく》剤《ざい》でウイルスを殺《さつ》滅《めつ》・除去します。

ヤーン
熱
塩素系
漂白剤
ウイルスはこれで死滅します
フフフ
恐れるなかれ

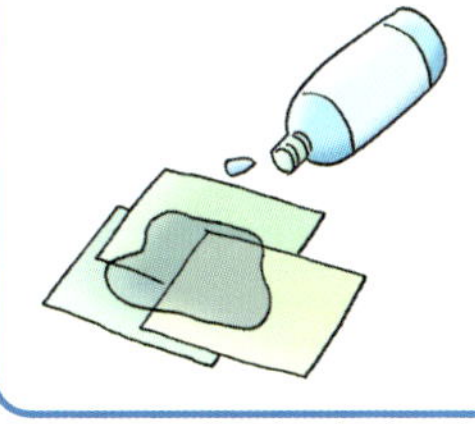

汚物は塩素系漂白剤でふき取ります

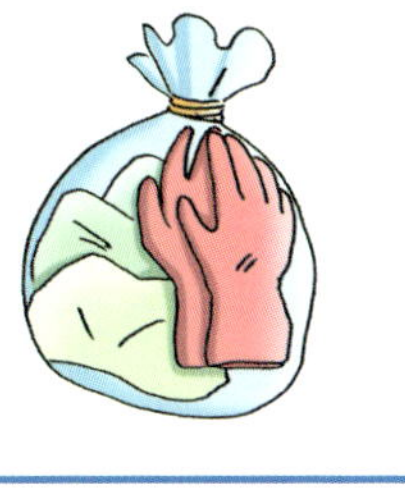

ふき取りに使った物は処分します

これで安心ね！

タオルや食器などは1分以上の煮沸

まかせて！

カーペットについた汚物は、スチームアイロンで1分、熱消毒

※ノロウイルスの場合

下痢 症状別 |PINK|

実はいちばんのキレイ好き。

おなかの敵と闘うだけでなく、おなかの掃除もする。

武器は塩水。大量の塩水でゴミを洗い流している。

発熱（RED）と嘔吐（YELLOW）の“追っかけ”をしている。

おなかから敵を追い出す！

下痢のときは
水分と塩分を
補給
しなさい
ボク
ママのおっぱい
のんでるから
うんちが
やわらかい
だけなんだ

ビックリ！　下痢の正体は？

子どもの下痢《げり》の多くは、おなかにウイルスが入った「おなかの風邪《かぜ》」か、細菌《さいきん》が入った「食あたり」で起こります。「おなかの風邪《かぜ》」の場合、発熱や嘔吐《おうと》が始まった次の日ぐらいから下痢《げり》が始まり、数日～1週間続きます。ですから、「熱も下がったのに、どうして下痢《げり》が続くの？」と心配することはありません。

下痢《げり》は、悪さをするウイルスや細菌《さいきん》、有害物質を追い出そうとする防衛反応《ぼうえいはんのう》と見ることができます。「下痢《げり》」と聞くと、「水のような便のことだ」と思われるでしょうが、その正体は、「塩水」と言ったほうが当たっています。

いちばん大切なのは、下痢《げり》として体から失われた水分と塩分の補給です。水分をたくさん取るから水っぽくなるのではありません。逆に、失った水分を補う必要があります。

あと、下痢《げり》のときは〝おしりのケア〟も大切ですよ。

下痢止め薬と整腸剤は違うの？

腸の中には、人間の味方をしてくれる善《よ》い細菌《さいきん》と、ワルさをする悪い細菌《さいきん》が共存しています。下痢《げり》のときは悪い細菌《さいきん》が優勢になっており、腸の中の環境《かんきょう》が乱れています。

下痢《げり》を止めようとする「下痢止《げりど》め薬《やく》」は、悪い細菌《さいきん》を追い出そうとする腸の働きをも抑《おさ》えてしまいます。その結果、悪い細菌《さいきん》を長く腸にとどまらせることになるので、よほど下痢《げり》がひどいとき以外は使わないほうがよいですね。**「整腸剤《せいちょうざい》」は、善《よ》い細菌《さいきん》を腸に届けておなかの環境《かんきょう》を整えようとするものです。**これは使ってもかまいません。

下痢止め

整腸剤

下痢でもふつうに食べさせて大丈夫？

下痢《げり》のときの食事は、控《ひか》えたほうがいいのでは？と、つい親は思います。でも、子どもの食欲はいつもどおりで、おかゆを作っても、「やわらかいご飯はイヤ！」と言って食べたがらないことも、よくあることです。

日ごろから、なかなか思いどおりに食べてくれないのが子どもです。**嫌《いや》がって食べない物よりは、その子のペースに合わせた物を食べさせてください。**「リンゴのすったのが食べたい」と言えば、それくらいのおなかだということですし、「ハンバーグが食べたい」のは、ハンバーグが食べられるぐらい元気だということです。赤ちゃんなら、下痢《げり》だからといって、母乳（ミルク）や離乳食《りにゅうしょく》をあえて減らしたりする必要はありません。

食欲があるのは、あまり心配のない証拠《しょうこ》。食べさせると病気が悪化するような下痢《げり》なら、食欲もなくなっているものです。

赤ちゃんの下痢《げり》は続くことが多いので、つい「食べさせたのが悪かった」「おなかを休ませないと」という考えになってしまいます。しかし、実際、食事で失敗するということは、ほとんどないのです。

✕ つい「食べさせたのが悪かった」と思ってしまいます

す、すごい下痢《げり》!!
何この音!!
ピーー ビリビリビリーー
だめよっ 下痢《げり》なんだから、ミルクは半分
もっとーー もっとーー
がっかり
下痢《げり》が全然よくならないわ……
夕べおかゆじゃなく、ご飯を食べさせたのがいけなかったのかしら……
おちこみ〜
それとも今朝《けさ》のフルーツが悪かったのか、さっき飲んだお茶が冷たかったのかしら……
ダメなお母さんでごめんね

○実際、食事で失敗することは、ほとんどありません

ぱく ぱく ぱく
よく食べるなあ
下痢《げり》なのにこんなに食べて大丈夫《だいじょうぶ》なのかな
でも食欲があるのは心配ない証拠《しょうこ》というし
子どものペースに任せてもいいわよね……
下痢《げり》が全然よくならないわ……
でも赤ちゃんの下痢《げり》は長引くことが多いのよね
気長に待つか
たしか、隣《となり》の子も10日続いたって言ってたし、まあこんなもんよね
ととと

こんなのが脱水症状

夏になると「脱水《だっすい》に気をつけましょう」という言葉をよく耳にします。でも、「脱水《だっすい》」がどんなことかわからなければ、「気をつけましょう」と言われても、どうしたらいいのかわかりません。

文字《もじ》どおり、体から水分が失われた状態を「脱水《だっすい》」といいます。しかし、ちょっと汗《あせ》をかいたぐらいでは脱水《だっすい》とはいいませんね。

水分が不足すれば、体から水が出ていかないような防御機構《ぼうぎょきこう》（主に腎臓《じんぞう》）が働きます。すると、オシッコの量が減ります。子どもなら、半日オシッコが出ないときは、脱水《だっすい》があると考えてよいでしょう。元気がなくなり、目がくぼみ、皮膚《ひふ》にシワが寄り、口の中はカサカサに乾《かわ》き、泣いても涙《なみだ》が出なくなります。

子どもの飲む意欲に任せていると、下痢《げり》がひどいときは特に、脱水《だっすい》を起こしてしまうことがあります。こまめな水分補給で乗り切りたいものですね。

それでも脱水症状《だっすいしょうじょう》が出てしまった場合は、できるだけ早く診察《しんさつ》を受けましょう。

こんなときは受診を

あら？、ほとんどぬれてない
まただわ

オシッコの量が減る

ハア
ハア

呼吸があらく、
ウトウトしている

泣いても
涙が出ない

目が落ちくぼんでいる

ひゃっ
冷たい！

皮膚が冷たい。
顔色が悪い

肌にハリがないニャ

皮膚・口・舌が
乾燥している

1日6回以上の大量の水の
ような便がある

コラム

「人間は体の中に海を持っている」

約40億年前、生命は海の中で誕生しました。

そして長い年月をかけ、多種多様の生物に進化します。その過程で生命を維持《いじ》するためには、当時の生活《せいかつ》環境《かんきょう》（海）を、体の中に保存する必要がありました。生命は体の中に小さな海を保ちつつ、数億年の歳月《さいげつ》をかけて、海から川、川から陸へと進出していったのです。

ヒトも含《ふく》め、生物の血液や体液の成分が海水に近いのはこのためです。ですから、ヒトにとって必要不可欠なのが「水」であり、水と同じぐらい大切な物が「ミネラル（中でもナトリウム＝塩）」なのです。

“腎臓くん”は計算博士

「体の海」を一定に保つために働いているのが腎臓《じんぞう》です。**腎臓《じんぞう》は体の海の余分な水や塩を正確に計算し、オシッコとして体の外に排泄《はいせつ》する、とても賢《かしこ》い臓器です。**

ママやパパも経験したことがあると思いますが、炎天下《えんてんか》でたくさん汗《あせ》をかいて水分が失われたときは、オシッコの量は減ります。水をたくさん飲んだときは、オシッコがたくさん出ます。これは腎臓《じんぞう》が調節してくれるから可能なのです。

ちょうどダムの働きに似ています。雨が降らず、ダムの水が不足してくると放水制限をします。反対に、雨がたくさん降るとダムは過剰《かじょう》な水を放出します。

下痢《げり》などで体の海の水が不足すると、腎臓《じんぞう》は水を保持するためにオシッコの量を減らし

腎臓は、体の海の水分、
塩分量を正確に保っています

ます。すると、赤ちゃんならば「おむつを替《か》える回数が減る」「取《と》り替《か》えるおむつが軽い」となります。

逆に、体の海の水が余ると、過剰《かじょう》な水を体の外に出すために、「おむつを替《か》える回数が増える」「取《と》り替《か》えるおむつが重い」となります。

熱が出たときの水分補給は、麦茶でもイオン飲料でも、母乳でもミルクでもかまいません。大きな塩分の不足は起こらず、腎臓《じんぞう》がキチンと調節してくれるからです。

しかし、**下痢《げり》が多いときは、単なる水分補給ではいけません。**下痢《げり》は汗《あせ》よりもずっと多

貯水量が少ない
ストップ
でない
おしっこは？
貯水量が多い
放出
ドーッ
トイレ
またトイレ？

くの塩分を含《ふく》んでいます。だから水だけではなく塩分の補給が必要になってくるのです。そんなときは、ORS（経《けい》口《こう》補《ほ》水《すい》液《えき》）がよいでしょう（ちなみに、汗《あせ》をビッショリかいたときも、ORSのほうがよいでしょう）。

下痢《げり》がひどく、脱《だっ》水《すい》症《しょう》状《じょう》を起こしているときは点滴《てんてき》が必要です。

市販品もあります

レモンや
グレープフルーツ
果汁で
味付けすると
飲みやすい

ORSの作り方

食塩小さじ1/2杯
(3g)
湯冷まし
1リットル
砂糖
大さじ4と
1/2杯
(40g)

●いちばん大切なのは、水分補給です。

下痢《げり》がひどいときは、水分だけでなく、塩分と糖分を含《ふく》むＯＲＳを飲ませてください（食事が取れていれば、水分だけで大丈夫《だいじょうぶ》です）。

母乳やミルクの場合は、そのままでいいニャ。こまめに補給することが大切だニャ
果汁を多く含むジュースは下痢を悪化させることがあります
注意

●食事は、子どもの食欲に合わせた物で大丈夫ですが、消化のよい物を心がけてください。

おかゆとうどんどっちがいい？
ハンバーグ!! 旗付きで！

食欲があるときの下痢は、あまり心配ありません

おしりのケアも忘れないで。

下痢《げり》は、デリケートな赤ちゃんのお肌《はだ》にとって、とても刺激の強いものなんです。下痢《げり》を繰《く》り返《かえ》すと、すぐにおしりが赤くなります。おしりふきで下痢《げり》をするたびに丁寧《ていねい》にふくと、ますます赤くなってしまいます。こんなときは、できるだけシャワーで洗い流すようにしましょう。保《ほ》湿剤《しつざい》でおしりを保護するのも有効ですね。

シャワー
おねがいします♡

胃腸炎の便にはウイルスが
多く含まれているので、
必ず手をよく洗いましょう

Dr.明橋からのメッセージ

「子どもは病気にかかるもの、決してお母さんのせいではありません」

子どもが病気になったとき、親御《おやご》さんがいちばん悩《なや》むのが、「自分のせいではないか」ということです。

どうしても子どもが病気になると、親は自分を責めてしまいます。

「あのときすぐ服を着せなかったから……」

「夕べ布団をけ飛ばしていたのにすぐ気づいてやらなかったから……」

「あのときスーパーに行きさえしなければ……」

「早く薬をのませてやれば、こんなことにはならなかったのに……」

そして、子どもが病気になったのは自分のせいだと思って、落《お》ち込《こ》んでしまうのです。

しかし、子どもは、病気をするもの。

病気をしながら、免疫力《めんえきりょく》を獲得《かくとく》していくわけだし、健康のありがたみもわかります。

それと、子どもの側からすると、病気になるのって、体はつらいけれど、意外とうれしいこともあるのです。

皆《みな》さんは、体温計が、38度を超《こ》して、つらい反面、何かうれしい、そんな気持ちになったことはありませんか？

病気になると、学校を休める、そして、お母さんが看病してくれる。いつも怒《おこ》りんぼのお母さんも、このときだけは優しかったりする。病院へ行くときも、いつもはきょうだいとお母さんを取り合いだけれど、今日ばっかりは、お母さんを独《ひと》り占《じ》め。

病気を通じて、もう一度、お母さんの愛情を確認できる、子どもにとってはまたとない機会なのです。

子どもは病気にかかるもの、決してお母さんのせいではありません。

むしろ、**子どもが病気にかかったら、それは子どもとの心の絆《きずな》を、もう一度強めるチャンスなんだ、**と考えてみてはどうでしょう。

親と子のほのぼのエピソード①

読者の皆さんからの投稿のページです

大阪府 32歳・女性

5歳の娘は、40度近い熱が出ても、親の心配をよそに「あそぼ、あそぼー！」と、いつも以上にはしゃぎまわります。

仕事を休み、家事の手も止められ、部屋は親子で作ったダンボールや折り紙の作品（？）でいっぱいに……。そして、「ままごとしよう！」の追い打ちがかかります。

でも、そんなある日、「みぃは、お熱のあるときが、いちばん好きやねん」と、しみじみと言ってきました。驚いて理由を尋ねると、「ママとずーっと一緒にいられるから」とのこと。思わず涙が出てしまいました。

岐阜県 31歳・女性

娘が2歳のときのことです。

梅雨明け早々、水ぼうそうにかかりました。別に熱が出るわけでもなく、皮膚に水ほうができるだけで、元気なものでした。

塗り薬が処方されるのですが、それが石膏のように真っ白で、暑い盛りで肌が露出していることもあり、2歳のやんちゃな娘は、そこらじゅう走り回っては座り込み、家の中、いたる所に、白い汚れを作ってしまいました。

後始末が大変でしたが、薬をつけてもらうのがうれしかったようで、無邪気な笑顔が忘れられません。

愛知県 31歳・女性

3歳の娘が40度の熱を出し、あわてて病院へ。

娘はいつも病院に行くと、興奮して体温が上がってしまうんです。この日も42度。点滴を打つことになったのですが……。「お母さんは、待合室でお待ちください」と看護師さんが言うと、

娘「ママ!! ママ!!（看護師さん）放して!!」

看護師「少しがんばろうね～、そうしたら、楽になるからね」

娘「触らないで!! 放して!! 来ないで!!」

看護師「嫌だけど、がんばろうね……。だれか、もう一人ついてもらえますか?」

娘「もー、放してって、言ってるでしょ!! 触らないで!! あっち行ってよ!!」

看護師「ものすごい元気だね。とても42度あるとは思えないね（笑）」

娘「やだ!! 放せ～!! ここから出してって言ってるの!! ママの所に行きたいの!」

パワーに圧倒されて、思わず看護師さんも笑っていました。だって、この会話、ずっと大声で叫んでますから……。

親と子のほのぼのエピソード②

読者の皆さんからの投稿のページです

石川県 31歳・女性

娘が1歳の誕生日を迎えるころ、千葉の主人の実家に、初めて連れていきました。

おじいちゃん、おばあちゃんとご対面の喜びもつかの間、翌日の朝、40度を超す高熱にびっくり!!

初めての病気が、外出先だなんて……。

でも、おばあちゃんと一緒で、とても心強く、あわてずにすみました。

それにしても、娘は熱があっても、少し体が楽になると、よく動き、よく食べる……（笑）

夢中でイチゴをほおばる孫の姿に、おばあちゃんも「熱に強いのね～」と、驚いていました。

埼玉県 32歳・女性

「寒い冬、風邪で寝込んでいるお母さんのために、男の子がシチューの作り方を習いに行く」というお話のアニメ番組がありました。

それからは、私がシチューを作っていると、3歳の娘はいつも、「お母さんがおねつでたら、シチューつくってあげるね♪」と言ってくれます。聞いたことのあるエピソードだなぁ、と思いつつも、実際、わが子に言われると、心から「うれしいな～。ありがとう」と答えている自分がいます。

初めて挑戦するシチューの味は、薄くてしゃばしゃばか、こってり塩辛いか、どちらかだろうね（笑）

神奈川県 24歳・女性

うちの息子は、今1歳。今までに2回入院し、その後もずっと通院中……。

初めて高熱を出したのは、6カ月のときでした。私はかなり、あたふた。

「あの日買い物に行ったから？ 強い風に当たったたから？ 布団がずれてたから？ ご飯がよくなかったから……」

ずっと考えて、悩んでしまいました。

考えすぎて、今度は外出ができなくなってしまいました。それはよくない、とは思うのですが、また熱に浮かされたらと思うと……。

でも、主治医の先生や、じじばばに、「外に出た分だけ、強くなって、刺激されて、体にも好奇心にもいいよ」と言われて、不安ながら外に出てみると……。

息子の目がキラキラしていました。急に「あ!!」とか、言葉も増えました。足もばたばたして、ハトを目で追って、イヌを追って……。見るからに楽しそうでした。

しかし、もともとの体質もありますが、また高熱。悲しくなってしまい、ごめんね、ごめんねと泣いてしまいました。

でも、ふと見ると、息子は同じキラキラの目をしていました。

こんなに熱が出ていて、ぐったりしていて、手も足も動かせないのに、目だけは別人かのように、キラキラしていました。

また外で遊ばせたいなって思いました。

何回高熱に浮かされても、治療に耐え、そして、待っていたかのように、外で思いっきり遊ぶ。小さい体の、何倍もの意欲に驚きました。

親と子のほのぼのエピソード③

読者の皆さんからの投稿のページです

奈良県 33歳・女性

娘は、3カ月健診で、「アトピーで、アレルギーがあるかも」と言われ、5カ月のときに、近くの病院で採血してもらいました。当時、私は初めての子どもで、かなりショックでした。

採血のときは、注射の針がうまく入らず何度も刺されたようで、すごい泣き声が聞こえ、私自身がとても耐え切れない状態でした。

20分ほどかかって、採血が無事終わった娘の両腕は、脱脂綿をたくさんテープで留めてあり、とても痛々しく、私はその姿を見て、思わず耐えていたものがこみ上げてきて泣いてしまいました。

受付で会計のときに泣いていたら、看護師さんが私に「お母さん、大丈夫ですよ、ほら、お子さん、もう笑ってますよ」と。

私は娘の顔を見ました。すると、さっきまで大泣きしていた娘が、私を励ますように、にっこりほほえんでいました。

千葉県 31歳・女性

長男が4歳、次男が1歳半のときのこと。お昼ご飯を作っている間に、次男がお昼寝を開始。

「寝ちゃったね。お昼は先に食べちゃおうね」

「……」（長男はちょっと寂しそう）

長男とお昼を済ませ、私はゴロゴロしながら、寝ている次男のぷりぷりのほっぺを、つんつんしたりしているうちに、私まで、ぐー。

しばらくして、はっと気がつくと、リビングの方から何やら声が。兄弟で遊んでいるんだなぁーと思い、

「ごめんねー、お母さんまで寝ちゃったよー。今、お昼用意……」

と言いながらリビングに行き、そこで目に入ってきた物は！

なんと、さっき私が作ったお昼を、次男がもりもり食べているではありませんか。

別にしておいたはずなのに、お皿に盛ってあってコップに牛乳まで入っている。横には長男が座っていて世話をしながら、一生懸命、お話もしているよう。まるでプチママ。

「え？　これ全部、用意してくれたの⁉」

「うん！　お皿が届かなかったから、イス使って取ったんだよー♪」

お兄ちゃんは、お昼ご飯が弟一人になってしまうのが、かわいそうだったんでしょうね。私はそんなお兄ちゃんに感動！　と同時に、ちょっと反省。でも、次男も喜んでいたし、長男にお兄ちゃんの気持ちが芽生え始めたんだということで、私もうれしいかぎりでした♪

ウンチの悩み

人生いろいろ、ウンチもいろいろ

色・形・回数には、あまりとらわれなくていいんです

べんぴって じょせいに おおいんだって
えー
やだねー

赤ちゃんのウンチは、飲み物・食べ物やちょっとした体調の変化で、色も形も大変わりします。

「ウンチは健康のバロメーター」といわれるだけに、ウンチだけ見ていると、「これは病気なのでは？」と心配になってしまいます。「こんなウンチは要注意」といわれる、「白・黒・赤のウンチ」が出たとしても、実際はあまり問題ではないことのほうが、ずっと多いんです。**重い病気の場合は、ウンチの変化以外にも体のサインが出ているもので、ふだんどおり機嫌《きげん》がよければ、あわてる必要はありません。**

どうしても不安なときは「人生いろいろ〜、ウンチもいろいろ〜♪」と軽く歌ってみてください。少しは心が落ち着くかもしれませんね。

生まれてからのウンチの変化

生後1週間〜1カ月

飲むとウンチをする時期。哺《ほ》乳《にゅう》回《かい》数《すう》の多い子は、1日10回以上も排《はい》便《べん》があります。

母乳やミルクしか飲まないので、ウンチも水っぽくやわらかい物になります。白い顆粒《かりゅう》状《じょう》の物が混じることがありますが、これは消化・吸収できなかった母乳やミルクの成分が固まった物。月齢《げつれい》が進んで胃腸の働きが成熟してくると、目立たなくなります。

1カ月～離乳食開始前

おなかにウンチをためることができるようになり、ウンチの回数がだんだんと少なくなってきます。排《はい》便《べん》回《かい》数《すう》・硬《かた》さ・色は、母乳かミルク、体質の違《ちが》いによって、かなり幅《はば》があります。緑色のウンチが出ることがありますが、病気ではありませんし、**2、3日ウンチが出なくても、元気で母乳やミルクの飲みがよければ心配いりません。**

小さな線や点状の、少量の血液が便に混じることがありますが、これは母乳栄養児に多く、病気ではありません。そのうち自然に出なくなりますよ。

離乳食開始後

胃腸はだんだんと成熟してきますが、大人と比べると、まだまだ未熟です。食べ物や体調によっては、白っぽいクリーム色のウンチ、赤っぽいレンガ色のウンチ、黒っぽい褐色《かっしょく》のウンチが出ます。「食べ物をかむ」のが下手なので、コーンやニンジンがそのままの形で出ることもあります。

ウンチが出やすくなるように水分をじゅうぶんに取らせて、豆類・海藻類《かいそうるい》など、食物繊《しょくもつせん》維《い》の多い食品を食べさせましょう。離乳食《りにゅうしょく》は、あせらずにゆっくりと進めてください。

元気な
ウンチの秘訣は
水分や食物繊維たっぷりの
離乳食♪
くんくん

あーん
たくさん食べて大きくなってねー
きゃー
ニンジンとマメがそのまま出てるー!!
食べ物が消化できずそのまま出てくることがよくありますが、これは病気ではありません
びっくりしないでくださいね
ぎゃー!!
なくなったと思ってた本の切《き》れ端《はし》が出てきたー!!
ウンチを見て思わぬ誤飲に気がつくこともあります注意してくださいネ

意外と多い、お通じの悩み

子どもが「おなかが痛い」と言ってくると、ママは心配してあわててしまいます。**乳幼児の腹痛の原因で、まず思《おも》い浮《う》かぶのは、お通じに関するものです。**実際、トイレでウンチを出すと、ケロッとしていることがあります。また、ご飯を食べると腸が働き（特に朝が活発）、食べ物を押《お》し出《だ》そうと動くので、それが痛いと感じることもあります。

「おなかが痛い」と言ってくれれば、すぐにわかりますが、しゃべらない赤ちゃんにそんなことは期待できませんね。ミルクの飲みはいつもどおりか、機嫌《きげん》はよいか、嘔吐《おうと》はないか、をチェックします。お通じのトラブルには、食物繊維《しょくもつせんい》の多い物を食べさせたり、おなかの「の」の字マッサージ、綿棒刺激《めんぼうしげき》・浣腸《かんちょう》で対処しましょう。

●便秘の予防でも、カギを握るのは「水」です。

しかし、単にたくさんの水分を取らせるだけでは、オシッコになって出てしまいます。便に水を保持できるように、食物繊維《しょくもつせんい》を多く含《ふく》む物を食べさせましょう。

起床時に
コップ１杯の
水を飲む
よい朝だ！
チチチ

食物繊維の多い食物

いんげん豆
ひじき
きなこ
大豆
小豆
大麦
納豆
オートミール
切り干し大根
きくらげ
干ししいたけ
かんてん
昆布
わかめ
のり
めかぶ
かんぴょう

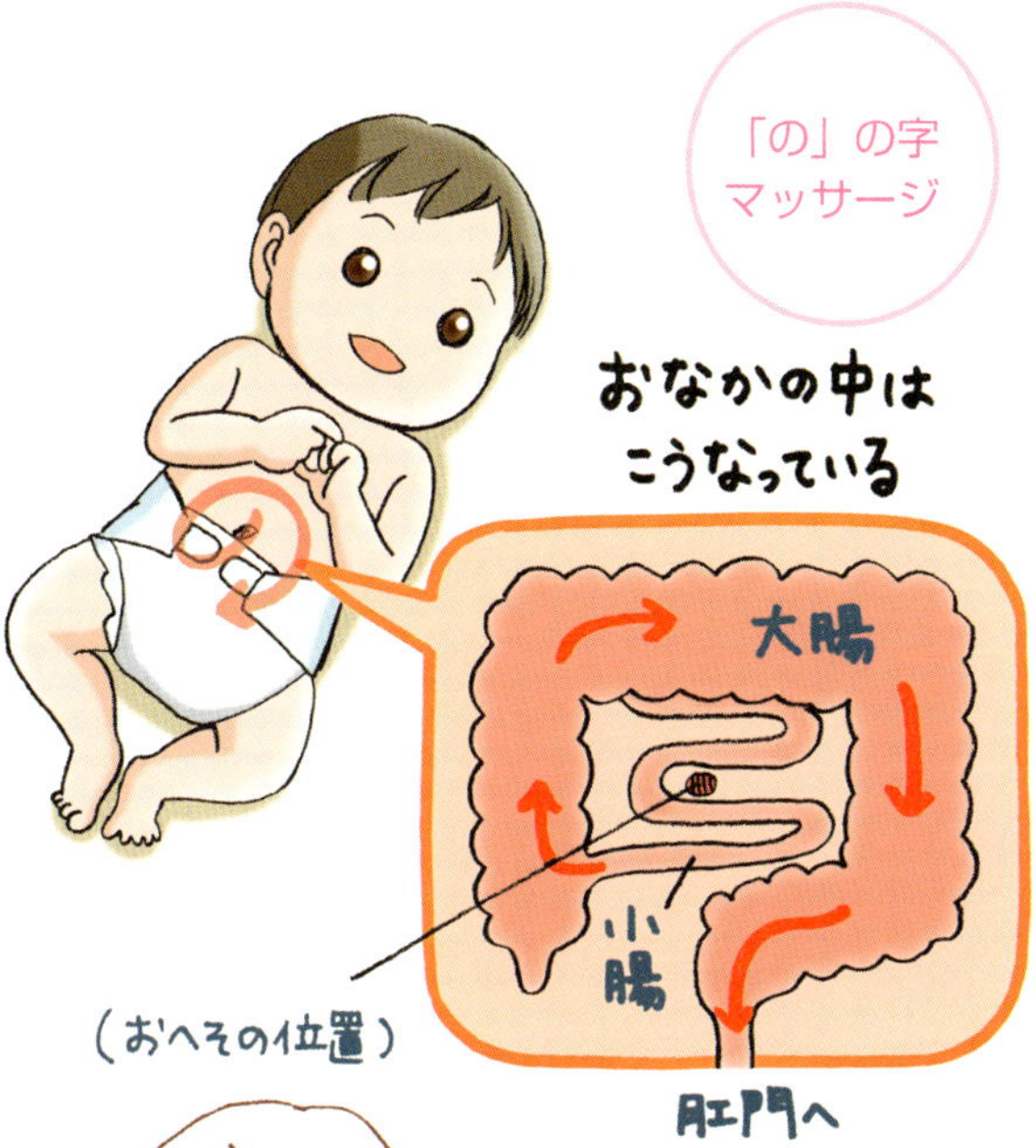
「の」の字
マッサージ
おなかの中は
こうなっている
大腸
小腸
(おへその位置)
肛門へ

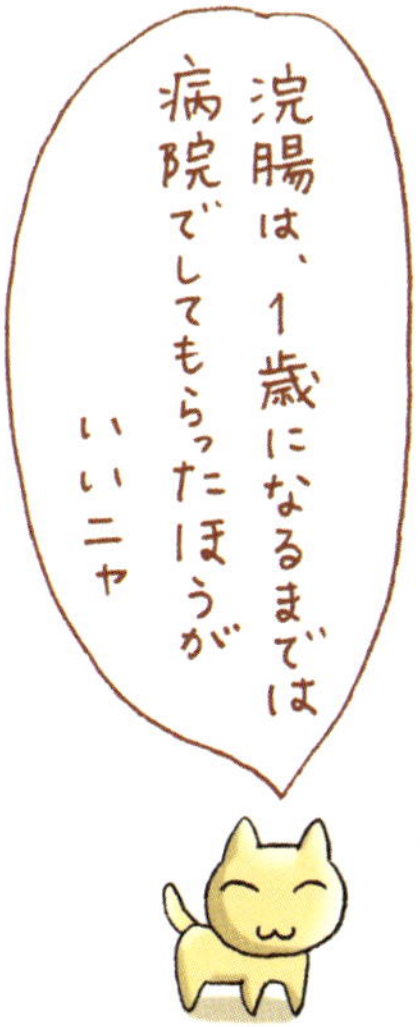
浣腸は、1歳になるまでは
病院でしてもらったほうが
いいニャ

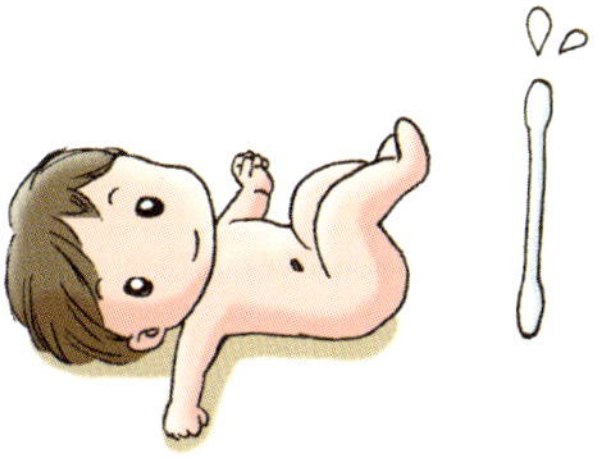

綿棒の先に
ベビーローションなどをつけて
肛門の中に２㎝くらい入れて、
ゆっくりと回転しながら抜く

お肌のトラブル

赤ちゃんのおはだは、デリケート

だから、水とアブラで守ってください

水とアブラのいい関係

お肌《はだ》のトラブルは目につきやすく、何かと気になるものです。赤ちゃんのデリケートなお肌《はだ》は、どのようにケアすればよいのでしょうか。**キーワードは「水」ですが、お肌《はだ》のバリア機能をサポートする「アブラ」も、同じくらい重要です。**

お肌《はだ》のアブラは、有害な物質や細菌《さいきん》、カビなどの侵入《しんにゅう》や、水分の蒸発を防いで、お肌《はだ》を守っています。

トラブルにはまらないためには?

お肌《はだ》のトラブルは、刺激物《しげきぶつ》の侵入《しんにゅう》→かゆい→かく→バリア機能が壊《こわ》れる→刺激物《しげきぶつ》の侵入《しんにゅう》→ますますかゆい→かく→……という具合にはまってしまいます。

お肌《はだ》に刺激《しげき》を加えないことが大切です。

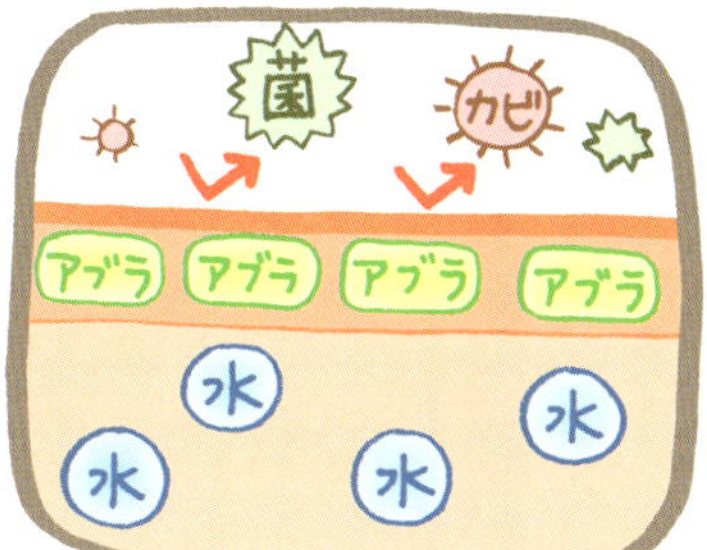

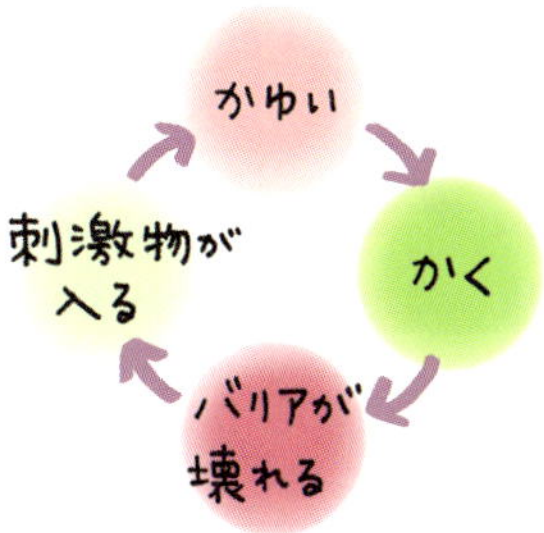

具体的には、以下のことに気をつけてください。

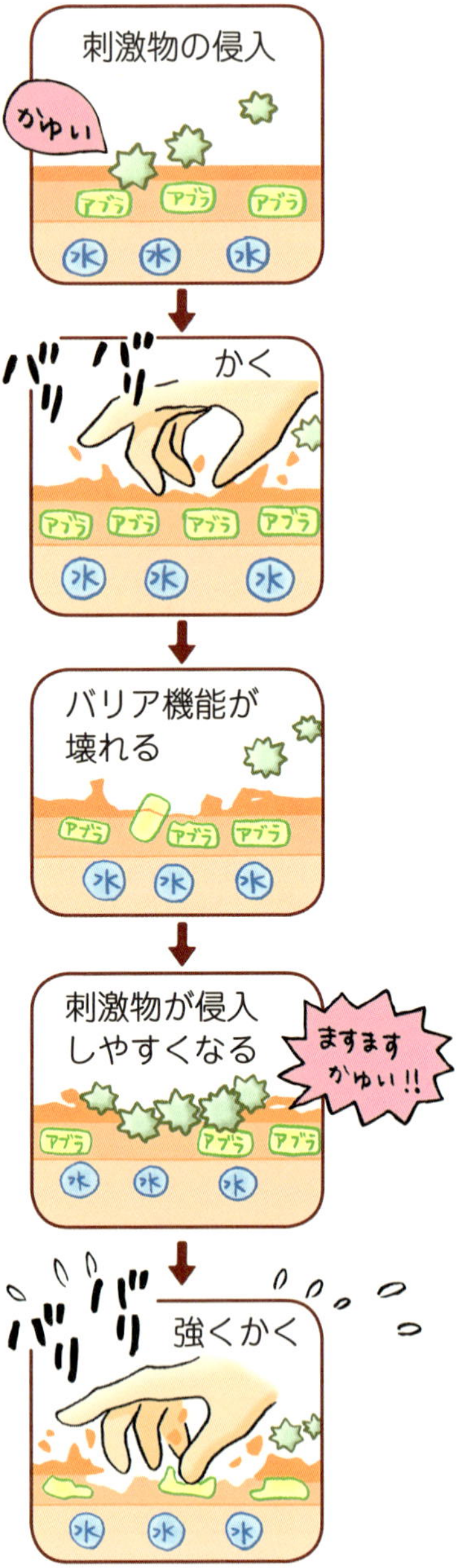
刺激物の侵入
かゆい
アブラ
水
バリ
バリ
かく
バリア機能が壊れる
刺激物が侵入しやすくなる
ますますかゆい!!
バリ
バリ
強くかく

いてて……かきすぎた
ジ〜ン

衣類

お肌《はだ》に密着する物や、チクチク・ゴワゴワする衣類は避《さ》ける。

洗剤、柔軟剤

気づきにくいことですが、洗剤《せんざい》、柔軟剤《じゅうなんざい》が刺激《しげき》になっていることがあります。使わなくてもよい物は、なるべく使わないようにしましょう。使う場合はよくすすぎましょう。

熱いお風呂に入れない

熱いお風呂《ふろ》はかゆみを増します。

温泉気分♪

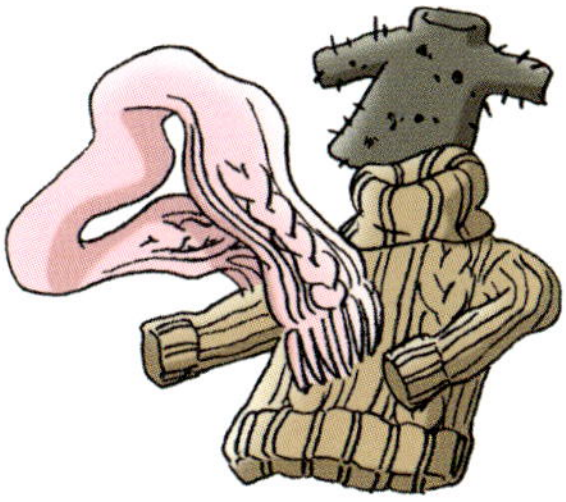

柔軟剤……
なくても大丈夫だよ

やめて
スリスリ

汗、汚れを落とす

汗《あせ》をかいたり、よだれや食べ物が体についたりしたら、シャワーで洗い流しておきましょう。せっけんやシャンプーを使ったあとは、よく洗い落としておくのを忘れずに。

お肌をこすらない

キレイにしようとするあまり、ウエットティッシュで何度もふいたり、ゴシゴシ洗ったりしないことが大切です。キレイになるどころか、お肌《はだ》のバリア機能が破壊《はかい》されて、悪循《あくじゅん》環《かん》が起こります。

ゴシゴシ
フギャー!

おむつがえのとき注意してね!
いたいの

赤ちゃんは、大人より1枚薄着が快適

お昼寝《ひるね》のときや大泣きしたときなど、赤ちゃんはお風呂上《ふろあ》がりさながらに汗《あせ》ビッショリです。**体は小さいですが、汗《あせ》の出る穴の数は大人と同じだけあって、赤ちゃんは「汗《あせ》かき」なんです。**

体の過剰《かじょう》な水分を体の外に出すのが「尿《にょう》」ですが、過剰《かじょう》な熱を体外に出すのが「汗《あせ》」です。

赤ちゃんが「汗《あせ》かき」なのは、代謝が活発なので、汗《あせ》で熱をドンドン放出する必要があるからです。ですから、赤ちゃんの衣類は、大人より1枚少ないくらいの薄着《うすぎ》でいいのです。

夏のお肌《はだ》は「あせも」が気になります。**あせも予防の第一は、薄着《うすぎ》で無用な汗《あせ》をかかせないようにすること。**室内では、エアコンを上手に使って快適に過ごしましょう。

冬になると、「風邪《かぜ》を引かせたらかわいそう」ということで、厚着をさせている親御《おやご》さ

んがあります。多い場合は、４枚ほど脱《ぬ》がせて、やっと聴診器《ちょうしんき》を当てることができるのです。これは、体に熱がこもって汗《あせ》をたくさんかくことにつながりますし、４枚が体にピッタリと密着していれば、冬でもあせもができてしまうんです。外出するときは厚着でも、帰宅したり、空調の効いた建物に入ったら、１枚脱《ぬ》がせるようにしてくださいね。

（生まれた直後の赤ちゃんは、汗腺《かんせん》の働きが未熟で、汗《あせ》をかきません。成長するにつれて汗《あせ》をかくようになります）

お肌の成長に合わせたスキンケア

生後すぐ〜6カ月まで

アブラが多い時期。アブラが多すぎて湿疹《しっしん》ができる場合は、せっけんで皮膚《ひふ》のアブラを落としてください。

6カ月〜2歳ごろまで

アブラが乏《とぼ》しくなり、お肌《はだ》がカサカサしてくるのでせっけんの使用は控《ひか》えめに。**バリア機能をサポートするのが保湿剤《ほしつざい》です。**カサカサするときは、湯上がり後に保湿剤《ほしつざい》を使いましょう。時間がたつと、お肌《はだ》から水分が急速に失われますので、汗《あせ》が引いてすぐ（湯上がり後、15分が目安）に塗《ぬ》るのがよいでしょう。

2歳以降

バリア機能が成熟し、お肌《はだ》は潤《うるお》いを取《と》り戻《もど》していきます。せっけんの制限は解除してもいいです。

湿疹が心配なときの離乳食

乳児の湿疹《しっしん》と離乳食《りにゅうしょく》は、深い関係があります。**乳児の3大アレルゲン（アレルギー反応《はんのう》を引き起こすもの）は、「卵・牛乳（乳製品）・小麦」です。**食べさせて口の周りが赤くなる、あるいは体にじんましんや湿疹《しっしん》が出る場合は、しばらくの間、その食品は控《ひか》えましょう。成長するにつれて、卵・牛乳（乳製品）・小麦を食べてもアレルギー反応《はんのう》が起こりにくくなってきます。どうしても周囲と比較《ひかく》してしまって「隣《となり》の子が離乳食《りにゅうしょく》を始めた」と聞くと、「ウチもそろそろ……」とあせってしまいます。離乳食《りにゅうしょく》を早く始めるのがよいことではありません。湿疹《しっしん》が気になるお子さんの場合、離乳食《りにゅうしょく》のタイミングは、かかりつけ医と相談してお決めになるのがよいでしょう。「よそはよそ、ウチはウチ」と、どっしり構えられるようになりたいものです。

食べ物では、甘《あま》い物（砂糖）は自然治癒力《しぜんちゆりょく》を落として、傷の治りを遅《おく》らせるといわれています。砂糖がたくさん入っているお菓子《かし》や清涼飲料水《せいりょういんりょうすい》は控《ひか》えましょう。また、辛《から》い物はかゆみを強くしますので、ホドホドに。

3大アレルゲンの
卵・牛乳・小麦は
少しずつ試してみよう
今日は
ミルクがゆを
一口
あーん
牛乳は
何とも
なかった
みたい
うどんを
一口ね！
じゃあ今日は
小麦に挑戦《ちょうせん》するか
よしよし、小麦も
大丈夫《だいじょうぶ》だったね
じゃあ
卵は
どうかな
固ゆで
卵黄だよ
はやく〜
はやく〜
数時間後——
あれ⁉
プツ
プツ
1、2日後に
湿疹《しっしん》が出る
こともあります

風邪なのに赤いブツブツ、何か別の病気？

風邪《かぜ》を引いたとき、体に赤いブツブツができることがあります。風邪《かぜ》といっても、「のどの風邪《かぜ》」や「おなかの風邪《かぜ》」がありますが、**体に出る赤いブツブツは「皮膚《ひふ》の風邪《かぜ》」といわれるものです。**数日のうちに、いつの間にか消えてしまうので心配はいりません。

ブツブツは口の中にもできます。その一部は口内炎《こうないえん》になります。これも数日で治るのですが、口の中が痛いため、機嫌《きげん》が悪くなったり、ご飯が食べられなくなったりすることがあります。そんなときは、子どもが好きな物をメインに食べさせていいんですよ。ただし水分をしっかり取らせるようにしてください。

皮膚《ひふ》にブツブツのあとが残るのではないかと心配になりますが、よほど激しくかき壊《こわ》したりしなければ大丈夫《だいじょうぶ》です。

体調崩すとよくブツブツができるけど、これ何だろう……

正しいアトピー性皮膚炎のケア

赤ちゃんや子どものアトピー性《せい》皮《ひ》膚《ふ》炎《えん》は、積極的に治そうとするよりも、症状《しょうじょう》を悪くしないように考えていきましょう。

「症状《しょうじょう》を悪くしない」とは、炎症《えんしょう》を抑《おさ》え、お肌《はだ》を清潔な状態に保ち、刺激《しげき》を与《あた》えないようにしていくことです。そのようにしていると、ほとんどは成長するにつれて治っていきます。「このまま一生治らないのでは？」という不安が出てきますが、あまり深刻に悩《なや》まず、よくなるまでお肌《はだ》のケアをこまめに続けることが大切なのです。

また、お肌《はだ》の専門家の間では「鼻の頭にアトピーなし」ということは有名です。鼻の頭のようにアブラが豊富な場所は、水も豊富なのです。そのような場所にアトピー性《せい》皮《ひ》膚《ふ》炎《えん》は起こりません。お肌《はだ》には水とアブラがとても大事であることがおわかりになると思います。

おむつ卒業の日まで
あわてず、ほめながら
気長にいきましょう

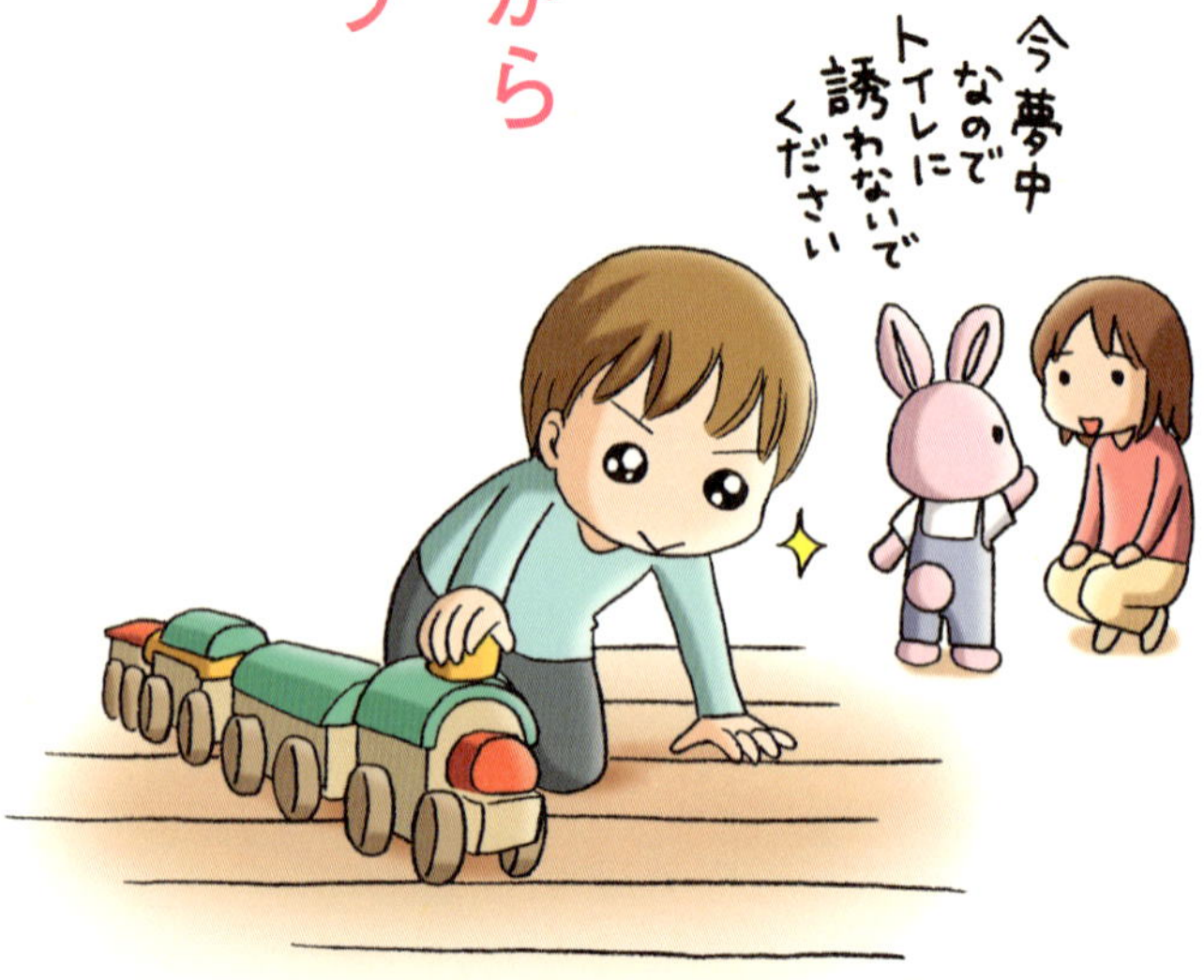
今夢中なのでトイレに誘わないでください
ハイ

「おむつ外し」ではなく、「おむつ外れ」

「おむつ外し」とよくいわれますが、本当は親が外すものではないんです。赤ちゃんは、周囲とのコミュニケーションの中で、「オシッコやウンチはトイレでするもの」と理解し、成長とともに、おむつから離《はな》れていきます。おっぱいを自分から卒業していく、「卒乳」と同じです。ママやパパは、その「おむつ外れ」を、少しサポートするだけなのです。

それでも、周りの子が次々とおむつ外れしていくと、親はとてもプレッシャーを感じます。育児書には「2歳で取れました」とか、「1週間のトレーニングで外れました」などと書いてあるので、どうしてもあせってしまいます。でも、**おむつの取れる時期は個人差があるものですし、早いから優れている、遅《おそ》いから劣《おと》っている、という問題ではないのです。**その子の成長に合わせ、「あわてず」「ほめる」「気長に」が大切です。

あわてず

昔は、生後9カ月ごろという早い時期からトレーニングを始める人が多かったそうです。もちろん、何もわからない赤ちゃんですから、時間を見計らっておむつを外し、「シー」

とか言いながらおまるに座らせるのです。しかし、このような条件づけを利用した早期のトレーニングは、その後のおねしょの原因になりやすいなど、かえってよくないことがわかり、もう少し遅《おく》らせるのが一般的《いっぱんてき》になりました。

最近は、大人の言うことに協力できるようになってから始めるのがよいといわれ、２歳になってからでも遅《おそ》くないとする考えが主流になりつつあります。もちろん、そこからのスタートですので、実際に外れるのは、３～４歳という子もたくさんいますよ。

エライねー
ママーオシッコー
ボクも行くー
ハイハイ
はっ
い、いつの間に!?
同じ月に生まれたお友達《ともだち》が、次々とトイレデビューしていく!!
しまった!
やり方がぬるかったか
とり残され感!
マ……ママ?
一層力を入れねば!!
この夏がラストチャンス!
焦り!!
布パンツでスパルタ!!
ああーっ一日も早く取ってしまいたい!
プレッシャ〜
大人の期待より子どものペースを優先してね!!

ほめる

トイレで出せたときは、「うまくできたね！」と、ほめて、子どもと一緒《いっしょ》に喜びましょう。ママが喜ぶ様子を見ると子どももうれしくなり、次からもトイレで出そうと思うようになります。

赤ちゃんにとって、愛着のあるのがおむつです。それを離《はな》れるには、「おむつはダメ」と否定するよりも、**「トイレでやったら気持ちいい、うれしい」という感覚を持たせることが大切です。**

反対に、おもらしをしたときは、怒《おこ》ったり落胆《らくたん》したりせず、

「嫌《いや》だったね」

「気持ち悪かったね」

と、子どもの気持ちをママが代わりに表現するようにします。

気長に

「オシッコは？」と聞いても答えられないのは、オシッコのたまった感覚がまだわからないからです。つい遊びに夢中になって、おもらしをするのは、成長したようで、未熟な部分が残っているのでしょう。「トイレに座りたがらない」のは、座らされるのが嫌《いや》だからですし、「おむつでしかウンチをしない」のは、そこに安心感があるからです。

とはいっても、そういったことが続くと、ママのほうが不安になったり、どうしてもイライラしてしまいます。ダメだとわかっていても、つい子どもの前で落胆《らくたん》したり、何度も「トイレは?」とせかしたり、「またやったの!」と叱《しか》ってしまったり……。**おむつが外れるまでは、一進一退の繰《く》り返《かえ》しです。**病気になると、元に戻《もど》ってしまうこともよくあります。嫌《いや》がるときは無理に進めようとせず、長い目で見守ってください。

× せかしたり、叱ったりする

オシッコは?
ない
15分後――
オシッコは!?
ない
30分後――
オシッコは!?
まだ!?
あの……あの……
ジョ〜
だから何回も聞いたのに!!
いつになったらトイレでできるの!?
わーん

○「一進一退の繰り返し」と気長に構える

トイレでできるまでの「5ステップ」

トイレトレーニングにはステップがありますので、それに応じたサポートが必要です。

❶オシッコやウンチは、トイレでするものと知る

おむつ替《が》えのとき、「ウンチが出たね」と話しかけたり、「チッチはここでするのよ」と、トイレのことを教えます。

チッチはここでするのよ
お姉ちゃんになったら、こんなにかわいいパンツをはけるのよ♡
ぴらっ

❷トイレやおまるを使ってみる

オシッコ出ないねー
出ないときは3分くらいで切り上げます
出なくてもほめてください
上手《じょうず》に座れてエラかったね!!

出るまで座らせる
出ないハズないでしょ!!
かれこれ30分軟禁状態

③ 生活の区切りに、トイレに誘う

朝起きたときや食事のあと、外出前など、ママのほうから「オシッコに行こう」と誘《さそ》ってみます。

嫌《いや》がるようなら無理をしないでください。

④ 自分から「オシッコ」と言えるのを待つ

少しガマンできるようになったな、と思ったら、今度はしたそうになるまで（もぞもぞするなど）待ってみましょう。

「オシッコ出る？」と聞いて、「うん、出る」と言ったら、出そうな感覚が言葉にできるようになったということです。

トイレが終わったら、「今度したくなったら、ママに教えてね」と声をかけます。子どもはまねるのが大好きですので、大人がトイレに行くとき、「オシッコー」と言ってみるのもいいですね。

おやつ駅の前にトイレ駅へ行きま～す
オシッコに行こう！と言いたいけれど、さっき断られたばかり……
あんまりしつこくてもダメだし……
そわそわ
ママ……
待つのって忍耐～～～
ぐしゃ
ぐしゃ
え!?
オシッコ
キラ
キラ
キラ
な！なんて言った!?

自分から「オシッコ」と言えたら、おむつ外れはもうすぐです。

⑤ママがイライラしないことがポイント

ストレスを感じたらトレーニングは、いったん休みましょう。

「ぬれて気持ち悪いと思わせないと、おむつは取れない」と言う人もいますが、体が対応できないうちに、いきなりパンツに替《か》えても、後始末するママがたいへんです。その様子が子どもに伝われば、子どもが挫《ざ》折《せつ》感《かん》を味わってしまいます。まずはおむつでトレーニングを進めて、「そろそろパンツにできるかな」と思ったら、始めてみてください。

おねしょとは「つきあい」が大事

昼間はおむつが取れても、夜はなかなかです。

おねしょはなぜ起きるのでしょう。それは、夜眠《ねむ》っている間に作られるオシッコの量と、オシッコをためるぼうこうの大きさとのバランスが取れていないためです。夜眠《ねむ》っている間のオシッコが多すぎたり、ぼうこうが小さすぎたりすると、おねしょになるのです。

もちろん、「オシッコがたくさんたまると、夜中でも目が覚める」のなら、おねしょになりませんが、「オシッコがたくさんたまっても目が覚めず、布団の中で出してしまう」から困ったことになるんですね。

つい「ストレスがあるのでは?」とか、「育て方が悪かった」などと考えがちですが、そうではありません。また、トレーニングで治せるものでもないんです。

おねしょは成長とともになくなっていきますので、「起こさず」「あせらず」「怒《おこ》らず」が大切です。

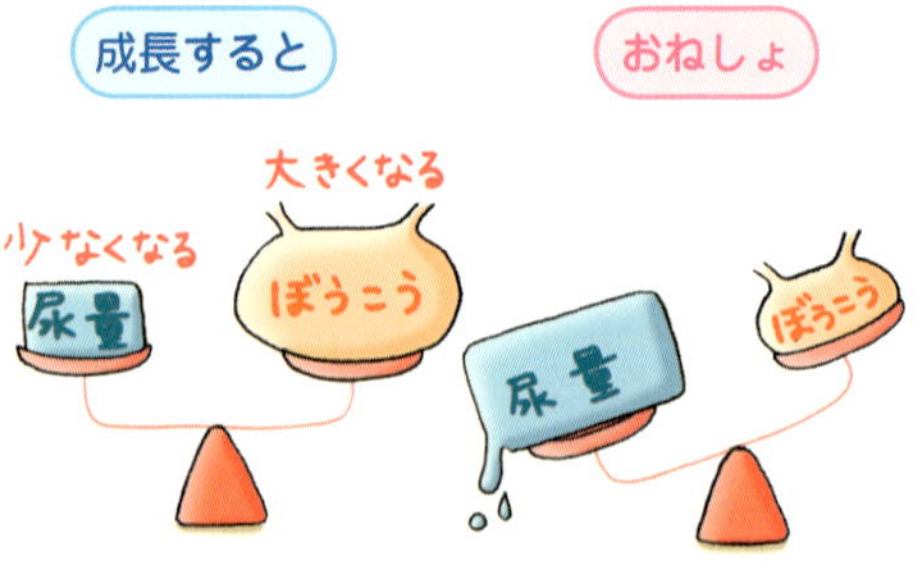
成長すると
おねしょ
大きくなる
少なくなる
尿量
ぼうこう
尿量
ぼうこう

成長すると夜間作られる尿量とぼうこうの大きさのバランスが取れるようになります

起こさず

夜中に起こすと、寝《ね》ている間に分泌《ぶんぴつ》される抗利尿《こうりにょう》ホルモンに影響《えいきょう》が及《およ》び、夜尿《やにょう》が治るのが遅《おそ》くなることがあります。

あせらず

親があせって先回りしたり、おねしょのことをやかましく言うと、「がんばろう」という子どもの意欲をそいでしまいます。あせるのはわかりますが、本人の気持ちが大切です。

怒らず

おねしょは、自分でしようと思ってするものではありません。注意したり怒《おこ》ったりしても、治らないどころか、精神的なプレッシャーをかけ、「自分はダメな子なんだ」と、自《じ》己肯定感《ここうていかん》を損《そこ》なってしまいます。夜の飲料水は少なめにする、やってもいいよう防水シーツを敷《し》くなど、いろいろな工夫をしながら、「しばらくは、おねしょとつきあおう」と、おおらかに構えていてください。

しばらくは
おねしょと
つきあおう

Dr.明橋の相談室

赤ちゃんは眠いと、なぜグズる

赤ちゃんは、眠《ねむ》いと、なぜかグズります。おなかもいっぱいのはず、おむつも替《か》えた、明らかに眠《ねむ》いからとわかるのに、ギャアギャア泣きます。「そんなに眠《ねむ》いなら、寝《ね》たらいいじゃないの!!」と叱《しか》りたくなりますが、叱《しか》ればよけいに、ギャアギャア泣きます。

いったい、どうして、眠《ねむ》いとグズるのでしょう。

実は、眠《ねむ》いというのは、意識の覚醒《かくせい》レベルが少し下がった状態です。そして、人間は、そういう状態のときに、暴れたり、感情をストレートに出したりするのです。

よく、酔《よ》っぱらいが、ふらふらになりながら、「おい、てやんでい」とからんだり、大声を出したりすることがありますね。そうするうちに、やがて、眠《ねむ》っていきます。それと同じなのです。

すっと眠《ねむ》りにつく子もありますが、それはむしろまれで、多くの子どもは、眠《ねむ》くなって、意識レベルが下がってくると、眠《ねむ》いのに、眠《ねむ》れない、という不快を、グズることで、表現します。

「おっぱいを飲みながらでないと眠《ねむ》らない」

「さんざん暴れまわり、1時間ぐらいしてようやく寝《ね》る」

など、さまざまです。

やっと眠《ねむ》ったかと思うと、今度は夜泣きです。

私も、上の子がまだ小さいとき、毎晩、夜泣きがひどくてたいへんでした。抱《だ》っこしてあやすだけでは、到底《とうてい》泣きやまず、こちらが動かないといけないのです。それで、毎晩、子どもを抱《だ》きながら、家じゅう、クマみたいにぐるぐる歩き回っていました。

ようやく寝《ね》ついて、子どもを、そーっと床《ゆか》に下ろすと、また火がついたみたいに泣きだす、また最初からやり直し、子どもよりも、こっちが泣きたいわ、ということの連続でした。

夜泣きというものは、永遠に続くものではなく、だいたい、1歳半までには治まるといわれています。

子どもの成長とともに、「眠《ねむ》ってくれない」悩《なや》みが、「あんた、いつまで寝《ね》てるの！」と、懐《なつ》かしく変わるときがあります。たいへんだと思いますが、それまでは夫婦で協力し、それぞれの家庭で工夫しながら、気長に構えていきましょう。

眠《ねむ》いんだね
顔つきが変わってるし
眠《ねむ》いんじゃない!!

眠たい子どもは機嫌が悪い

おっぱいは、いつまで？

おっぱいというのは、体に栄養を与《あた》えるだけではないんです。お母さんに抱《だ》かれておっぱいをくわえると、子どもはとても安心感をもらいます。ですから、**おっぱいというのは、子どもの心の安定のためにも、とても大切なものなのです。**

昔は、「断乳」といって、無理やり、おっぱいをやめることがふつうでしたが、今では、「卒乳」といって、子どもが、自然におっぱいを卒業するのを待つ、という考え方が主流になってきています。ですから、あまり卒乳については、急ぐ必要はありません。

1歳を過ぎ、離乳食《りにゅうしょく》が完全食になるころには、「いつまで、おっぱいやってるの？」と、周りから言われたりします。しかし、**本人が欲しがるなら、与《あた》えていいと思います。**子どもが元気でよく遊び、きちんと食事を取り、体重が順調に増えているなら、2、3歳まで母乳を飲んでいても心配ないといわれています（母乳は、子どもの成長に合わせて出るので、母乳が出ている間は与《あた》えていいという説もあります）。

子どもは、次第におっぱいだけでは栄養が足りなくなり、おっぱい以外の食事を欲しがるようになります。また、行動の幅《はば》が広がっていくことで、ほかに興味の対象がいろいろ増えてきて、おっぱいへの執着《しゅうちゃく》もだんだんなくなって、その結果、自然に卒乳していくのです。

✕子どもの気持ちより、周りの言葉に左右されてしまう

まだおっぱいやってるんだー
へー
んくんくっっ
もうあんまり栄養はないみたいだよ
私のころはみんな断乳してたけどね
いつまでもやってるから甘《あま》えん坊《ぼう》になるんじゃないの
おっぱい～♪
おっぱいはもうおしまいにしようか

○「おっぱいは心の栄養」と思って、安心感を大切にする

あれ、まだおっぱいやってるの?
うん
本人が欲しがるうちはやろうと思ってるの
んくっんくっ
おっぱいは心の栄養っていうしね!
ふーん
こわした!
あっちいってー!!
えーんママーっおっぱいー
あらあら
安心……

しかし、いろいろな事情があって、時期を決めて卒乳する場合もあると思います。

その場合は、まず数日前から、予告をしておきます。「そろそろおっぱいをやめるようにしようね」

そして、おっぱいをやめたら、最初は泣いて欲しがることもありますが、お母さんと一《いっ》緒《しょ》だとおっぱいを思い出してつらくなるかもしれないので、なるべくおじいさんやおばあさん、お父さんと遊ぶ時間を増やしてもらいます。

昼間は、なるべくたくさん遊ばせること。おっぱいを欲しがったら、「おっぱいはもうバイバイね」と優しく言って、そのかわりに抱《だ》っこしてやります。**おっぱいは与《あた》えられなくても、お母さんの愛情が変わらないことを伝えること。子どもが不安になったときは、しっかり安心感を与《あた》えていく。それによって、子どもは不安を乗《の》り越《こ》え、成長の次のステップに進むことができるのです。**

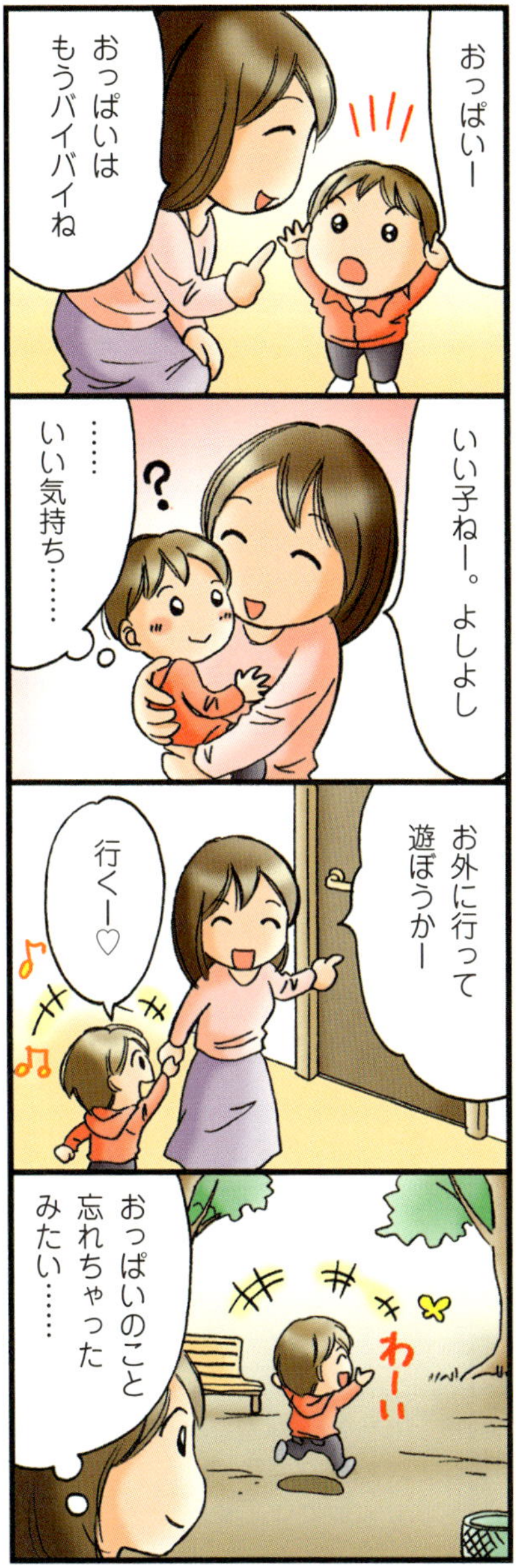
おっぱいー
おっぱいはもうバイバイね
いい子ねー。よしよし
……いい気持ち……
お外に行って遊ぼうかー
行くー♡
わーい
おっぱいのこと忘れちゃったみたい……

「遊び食べ」は、どうすればいい？

アドバイス

いわゆる「遊び食べ」は、10カ月ごろから見られるようになり、1歳を過ぎると、とても手に負えない状態になります。ご飯を手でこねて遊んだり、わざと牛乳をこぼしたり……。ついイライラしてしまうのも、無理はありません。

しかし、**このような行動は、わがままでもないし、お母さんをバカにしているわけでもありません。**1歳を過ぎたころになると、外界への好奇心《こうきしん》や、イタズラ心が極めて活発になってきます。それが食事に向かうと、遊び食べになるのです。まずは、**子どもにこういう行動が出てきたということは、子どもの心がそこまで成長した証拠《しょうこ》と考えましょう。**

しかし、あまり延々と続けられると親もストレスがたまります。まずは、多少こぼしてもいいように、イスの下にビニールシートや新聞紙を敷《し》いておきます。そして、しばらく見守って、もうあまり食べないな、むしろ遊びモードに入っているなと思ったら、20〜30分ほどで、警告を発します。「これ以上食べないなら、もう片づけるよ」。それでも、食べようとせず、遊び続けるなら、さっと片づけます。そのとき、怒《おこ》ったりせず、明るく、「はい、ごちそうさまー！」と伝えるのがポイントです。子どもは泣くかもしれませんが、次の食事時間までは、出さないようにします。じゅうぶん食事を取っていないのに、と心配になるかもしれませんが、これで栄養失調になることはありません。こういうことを繰《く》り返《かえ》しているうちに、少しずつ集中して食べる習慣がついてきます。

× 子どものわがままだと思ってしまうと……

はい。もうポイしないでね
2杯め
じょばー～～
ぼこっ
ふきふき
夢中
ぽいっ
ぐちゃー
ぐちゃぐちゃ
ゴン
もーっ!! いいかげんにしてよっ
同じことを何度も言わせてっ。バカにしてんの!?
ばっ

○遊び食べは、好奇心の表れと思って対処

遊び食べは好奇心《こうきしん》の表れというから、この時期にはしかたがないことなんだわ
遊びモードに入ってきたな
もう食べないなら、片づけるよ
ぐちゃぐちゃ〜
どう見ても食べる気はなさそうね
ちゃんと聞いてたよね
おい……
ぴしゃっ ぴしゃっ
じゃあごちそうさまにしようねっ♪
さっ
あーっ!

「好き嫌い」を直すには

子どもの食事についての悩《なや》みの中で、ダントツに多いのが好《す》き嫌《きら》い、それも野菜嫌《やさいぎら》いです。細かくして好きな物に混ぜたり、お母さんたちはいろいろと努力されているようですが、敵もさるもの、なかなか手ごわいのです。無理に食べさせようとすると、何も食べなくなったりしてしまいます。**せっかくの楽しい食卓《しょくたく》が、嫌《いや》なものになってしまうよりは、こういうときは、食べなければしかたがない、といったんあきらめる、**というのも、私は賢明《けんめい》な方法ではないかと思います。

野菜に含《ふく》まれる栄養素は、ほかの食べ物や果物《くだもの》などにも含《ふく》まれています。実は保育所の給食なら、しっかり食べている、という子もいます。成長するにつれて、好みも変わってきますし、実際、偏食《へんしょく》があるからといって、本当に成長に問題が生ずることはほとんどないといってもいいのです。それを、あまり今、急に野菜嫌《やさいぎら》いを直そうとして無理強《むりじ》いすると、食事そのものが苦痛になります。極端《きょくたん》な場合、食事のたびに親子げんか、というような状態になると、体の栄養よりも、心の栄養のほうが心配になってきます。ですから、結論から言うと、**どうしても食べようとしない場合は、あまりあせって偏食《へんしょく》を直そうとしないほうが、結果的にはよいことが多いようです。**

そんな中で、一つ工夫を挙げるとすれば、子どもに、食事作りに参加させるという方法です。自分で野菜をちぎったり、盛りつけしたりする。プランターで、簡単に育つ野菜を作るのもいいかもしれません。もう少し大きくなると、包丁を持って切ってもらう。そうして食事作りに参加させると、食材に対する愛着もわき、いい効果を生むこともあるようです。いずれにせよ、少しおおらかに構えて、気長にやっていきましょう。

ネコの手で…… そうそう うまい うまい
ハラ ハラ

× 無理に食べさせようとすると、食事がつらいものに

いっつも野菜を残すからなー
野菜ギョーザにすれば食べるかなあ。
それとも野菜ハンバーグ……
ブツブツ
ブツブツ
ブツブツ
ブツ
野菜炒《やさいいた》め……
絶対食べないだろうなあ
とにかく小さく刻んで……
もういらなーい
デザート!
ずずー
せっかく作ったのに二口しか食べてない!!
しかもトマトは残して!
絶対許さないわよ!
もっと食べなさい!!
いやだいやだ
ぐいぐい
お母さんの作ったご飯が食べられないって言うの!?
そんなにマズイ!?
わーんわーん
もうヤダ……
また泣かせてしまった……
楽しく食事したことなんて一度もナイ……

○いったんあきらめて、心の栄養を優先する

もう
ごちそうさまに
したーい
また野菜を残して……
でも、どうしても
嫌《きら》いな物は
しかたがないわ
私も子どものころは
嫌いな食べ物
多かった……
野菜に含《ふく》まれる栄養素は、
ほかの食べ物にも
含《ふく》まれているんだから
絶対に好《す》き嫌《きら》いを
なくさなきゃいけないと
いうこともないよね……
じゃあ
一口だけ食べて
終わりに
しようか
わかった
楽しく食事をするほうが
ずっと大事だわ

次は
子どもの病気の
心配の
アレコレです
よっ
それっ

Q&A始まるよ！
びたっ

Q 早く診てもらえば、早く治るのでしょうか？

A たくさんの子どもを診察《しんさつ》していると、「困ったなァ」と思うことがあります。熱が出てすぐに受診《じゅしん》した子です。ひどくなる前に早めに受診《じゅしん》した、というケースもそうですね。

「なぜ困るの？」という声が聞こえてきそうですが、急を要するかどうかの判断はできても、それ以上はできない場合が多いからです。結局、時間をあけてもう一度受診《じゅしん》してもらうことになり、「早めに連れていけば、早く治るだろう」というママやパパの期待にこたえられないのです。「家でゆっくり休ませておいたほうがよかった」ということになりかねません。

医師の間では、「後から診《み》るほど名医」という言葉は有名です。症状《しょうじょう》が出そろっていない初期には単なる風邪《かぜ》のように思えても、後で診《み》た医師は、比較的《ひかくてき》簡単に肺炎《はいえん》だと診断《しんだん》できる、などです。数日のうちに、いくつものクリニックを転々とする人が多い小児科では、「後から診《み》るほど名医」現象は、あちこちで起きていることと思います。

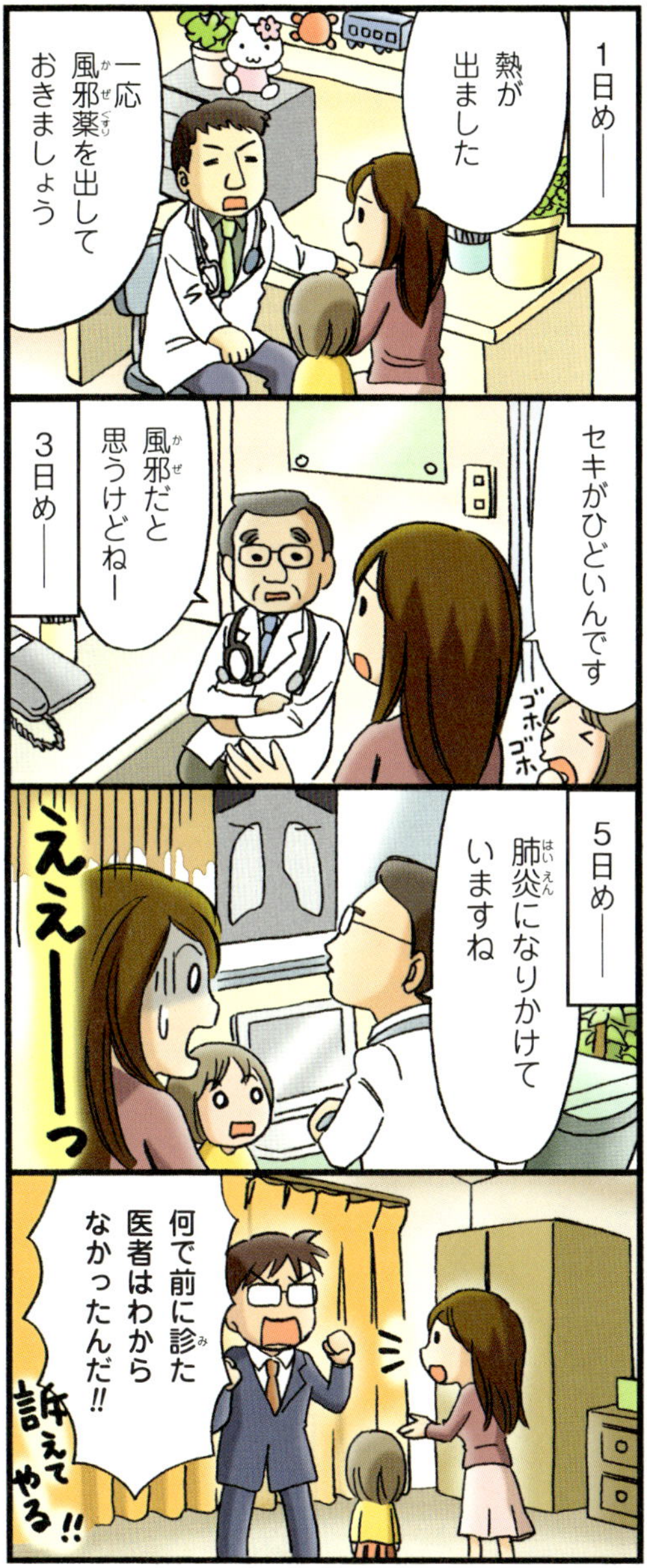

1日め――
熱が出ました
一応 風邪《かぜ》薬《ぐすり》を出しておきましょう
3日め――
セキがひどいんです
ゴホゴホ
風邪《かぜ》だと思うけどねー
5日め――
肺炎《はいえん》になりかけていますね
えぇーーっ
何で前に診《み》た医者はわからなかったんだ!!
訴えてやる!!

Q クリニックよりも、大きな病院に行ったほうが早く治るように思うのですが。

A.

「設備の調った大きな病院のほうがよいのではないか」というお気持ちはよく理解できます。しかし、早く治るかどうかは病院の設備よりも、医師の技術によります。立派な食材や調理器具を集めるのも大切ですが、料理人の腕《うで》が悪ければおいしい料理ができないのと同じです。

大病院の弱点（待ち時間が長い、曜日によって担当医が変わる）を知れば、まずはクリニックに行ったほうがよいということがおわかりになると思います。クリニックの医師の技術がよければ、適切なタイミングで大きな病院に紹介《しょうかい》してくれることでしょう。

3日たったのに、また夕方から熱が出始めたんです
んー
風邪《かぜ》だと思うけどね。このまま様子を見ましょう
個人医院
あの先生大丈夫《だいじょうぶ》かしら
まあわりと元気そうだけど……
もっと大きな病院で診《み》てもらったほうがいいんじゃない
大病院教授
夕方になると熱が上がって……精密検査してください
じゃあレントゲンを撮《と》ってみましょう
影《かげ》もないし、ふつうの風邪《かぜ》のようですよ
どこに行っても同じ診断《しんだん》なら、待たない分、個人医院のほうがよかったな

Q 「風邪のとき、抗生物質はのませないほうがいい」と言うママ友達がいるのですが、本当ですか？

A.

大ざっぱに言うと「抗生物質《こうせいぶっしつ》＝抗菌薬《こうきんやく》＝抗菌剤《こうきんざい》」です。言葉が違《ちが》うだけで、同じ物です。より正確に言うと、抗生物質《こうせいぶっしつ》は抗菌薬《こうきんやく》、抗菌剤《こうきんざい》より広い範囲《はんい》の物を指します。

抗菌薬《こうきんやく》は読んで字のとおり、細菌《さいきん》をやっつける薬です。悪さをしている細菌《さいきん》だけでなく、体に住んでいる善《よ》い細菌《さいきん》もやっつけてしまいます。鼻・のど・皮膚《ひふ》・腸などには多くの「善《よ》い細菌《さいきん》」が存在して（常在菌《じょうざいきん》といいます）、ウイルスや細菌《さいきん》の侵入《しんにゅう》を防ぐのに、大切な役割を担《にな》っています。抗菌薬《こうきんやく》は常在菌《じょうざいきん》にも影響《えいきょう》を及《およ》ぼすのです。

「熱が出たら必ず抗生物質《こうせいぶっしつ》」「ケガをしたら必ず抗菌剤《こうきんざい》」という考え方はメリットが乏《とぼ》しく、デメリットが多いことがわかってきました。「とりあえず抗生物質《こうせいぶっしつ》を出しておく」というのは古い考え方で、最近は少数派になりつつあります。

また、**風邪《かぜ》の原因の80~90パーセントはウイルスだといわれています。抗生物質《こうせいぶっしつ》はウイルスには効きません。**このことからも、「風邪《かぜ》を引いたらすぐに抗生物質《こうせいぶっしつ》」というのは、あまり好ましくないと思います。

抗生物質《こうせいぶっしつ》は細菌《さいきん》をやっつける薬です
困ったときはオレを呼べ!!
困ったことに悪い細菌《さいきん》だけでなく善《よ》い細菌《さいきん》までやっつけてしまいます
コラ!
おまえも菌だな!!
たまらん!!
イヤー
はりきりすぎだよっ
そしてウイルスには効きません……
オレたちカゼウイルス
ベー
ベー
うぬー!!
おまえなんか怖《こわ》くも何ともナイ
熱が出たら抗生物質《こうせいぶっしつ》、というのは最近ではデメリットが多いことがわかってきました
ホントに必要かまだわからないから、今日は抗生物質《こうせいぶっしつ》は出しません
フッ
あばよ

Q ミルクをたくさん飲むので太ってきました。このまま肥満になるのでは？と心配です。

A.

ポッチャリしてきた赤ちゃんを見て、「こんなに太って大丈夫《だいじょうぶ》かしら？」と心配するママが多いようです。**でも大丈夫《だいじょうぶ》。歩き始めるころから、あっという間にスリムになっていきます。**

乳児期と、1歳を過ぎた幼児期とでは、成長のしかたに違《ちが》いがあるのです。乳児期は、例えれば雪だるまが大きくなっていくような成長です。幼児はタケノコが伸《の》びていくような成長をします。1歳ごろに成長パターンが一変して、「ポッチャリ」から「ホッソリ」

に体型が変わっていくのです。

体重の「増えすぎ」あるいは「増えなさすぎ」の目安は、母子手帳に載《の》っている「乳幼児身体発育曲線」をごらんになるとよいでしょう。この発育曲線は、いわゆる「標準」の体重をカラーゾーンで表しています。体重がこのゾーンの中にあり、発育曲線と同じようなカーブを描《えが》いて増えていればOKです。そのゾーンから外れているお子さんもいらっしゃいますが、**健康で発育曲線と同じような体重増加があるのでしたら、あまり問題はないんですね。**

（いずれの場合も、乳《にゅう》幼《よう》児《じ》健《けん》診《しん》はキチンと受けて、担当医師の指示をよく聞いてください）

マイペースでやっていきますので見守っていてください

ケンちゃん
はなちゃん

Q うちの子は、食が細いのですが……。

A.

1歳を過ぎて「タケノコ式」の成長に変わるころから、逆に「食が細い」という心配が出るようになります。**アメリカの有名な小児科の教科書『ネルソンテキストブック』には、「1歳ごろから子どもは食べ物に関心を示さなくなり、あまり食べなくなる」と書かれてあります。**発育が緩《ゆる》やかになることもあって、以前ほど食べなくてもよくなるのでしょう（もちろん、個性や個人差がありますから、1歳を過ぎてたくさん食べる子がいたとしても、おかしくありませんよ）。

こういった悩《なや》みは、お子さんの栄養のこと、体のことを心配しているからこそ出てくる悩《なや》みです。忙《いそが》しい中でも、かわいいお子さんのために一生懸命《いっしょうけんめい》がんばっておられるママ（パパも）には、本当に頭が下がる思いです。

無理に食べさせようとするのは、ママも子どももつらいことです。栄養のバランスを考えるのは大切で、離《り》乳食《にゅうしょく》は和風中心がよいですが、1歳を過ぎると食が細く、好《す》き嫌《きら》いが多くなるものですから、楽しく食事することを優先すればよいと思います。

きゃあ
きゃあ
きゃあ
でも2人とも元気いっぱいで、何か問題があるようには見えないわね……
1人1人適量が違《ちが》うっていうのは、本当なのかもね
そうねぇ……
テレビを見てても、すごく食べるのにほっそりした体の人もいるしね
おいしい!
そういえば私もポッチャリしてるけど、案外小食なんだ……
体質の違《ちが》いかな
楽しく食事をするほうが大切!
ハイハイ おかわりね
もっとー
もっとー
ピョピョ
あきらめたら楽になった〜
ごちそうさまでしたー
この子はこれで足りているんだわ

3年後——
入学式
最近ケンちゃんスリムになってきたんじゃない?
そうなの、「ややポッチャリ」かな
食べる量は相変わらずだけど
うちもやせてるからって、ほかに何か困ったこともなかったわ
丈夫だし
小さいときはただただ一生懸命《いっしょうけんめい》で気がつかなかったけど、
子どもの体形のことで親があれだけ悩《なや》むほどのものでもなかったなー
あはは
やっぱり親が笑《え》顔《がお》でいられるのがいちばんよね
親が楽になれば、子どもも楽になれるんだから
写真撮るよー
はーい

Q キズが早く治るといわれる、〝モイストヒーリング〟とは何ですか?

A.
子どもはどんなに気をつけていても、ケガをするものです。キズができたとき、どんなケアをしていますか?

「消毒してガーゼを当て、かさぶたを作って治すんじゃないの?」という人が、ほとんどではないでしょうか。それは〝ドライヒーリング〟といって、実はかなり古い治し方なんですね。

最近、注目されているのが、「キズは潤《うるお》すことで、早くキレイに治る」という〝モイストヒーリング〟です。まず、傷口の汚《よご》れをキレイに洗い流し、モイストヒーリング用のキズケアパッドを張ります。かさぶたを作らない治し方です。

皮膚《ひふ》がキズつくと、傷口にジクジクした液体がにじみ出てきます。この体液の中で、細《さい》胞《ほう》は増殖《ぞうしょく》してキズを修復するのです。ヒトが水なしで生きられないのと同じで、水がなければ細胞《さいぼう》は死んでしまいます。ですから、**キズは乾燥《かんそう》させると、治るのが遅《おそ》くなってしまうのです。**また、かさぶたができると、傷口の再生が妨《さまた》げられます。消毒液は傷口の細菌《さいきん》だけでなく、細胞《さいぼう》にもダメージを与《あた》えてしまいます。

〝モイストヒーリング〟は、キズが早くキレイに治るだけでなく、キズを密閉しておくことで感染を抑《おさ》えたり、乾燥《かんそう》による傷口への刺激《しげき》が少ないため、痛みを減らす効果もあるんですよ。

モイストヒーリング用
キズケアパッド

Q 受診したのに、病名がハッキリしなかったんですけど……。

A.

「前の病院で、病名がハッキリしなかったんですけど」と言って受診《じゅしん》された方がありました。よく聞いてみると、すでに治療《ちりょう》も問題なく進んでいて、私の所ではそれ以上することがありません。「キチンとした病名がわからないというのは、よくあることなんですよ。だからといって、適切な対処ができないわけでもないんです」と説明し、そのほかの疑問にもできるだけお答えするようにしたところ、納得して帰られました。

病名にとらわれてしまうお気持ちはわかりますが、「わからないこと」を何とかしようとするよりも、できる対処から始めていけばいいんですね。

ピンクのお花
きれいだねー
あら、口元に赤いできものが……
こんなのあったかしら
気になりだしたら止まらない！
ちょっとネットで調べてみよう！
おはな〜
乳児湿疹……
皮膚カンジダ
あせも
とびひ……
水いぼ
じんましん
虫さされ……
サーモンパッチ
突発性発疹
はしか、風疹
水ぼうそう
ヘルペス……？？
おそといくーー!!
ダン
ダン
何の病気……？
変な病気だといけないから病院に行っておいでよ
おそとー
ちょっと病院へ行こう!!
顔のことだし！
ビューン

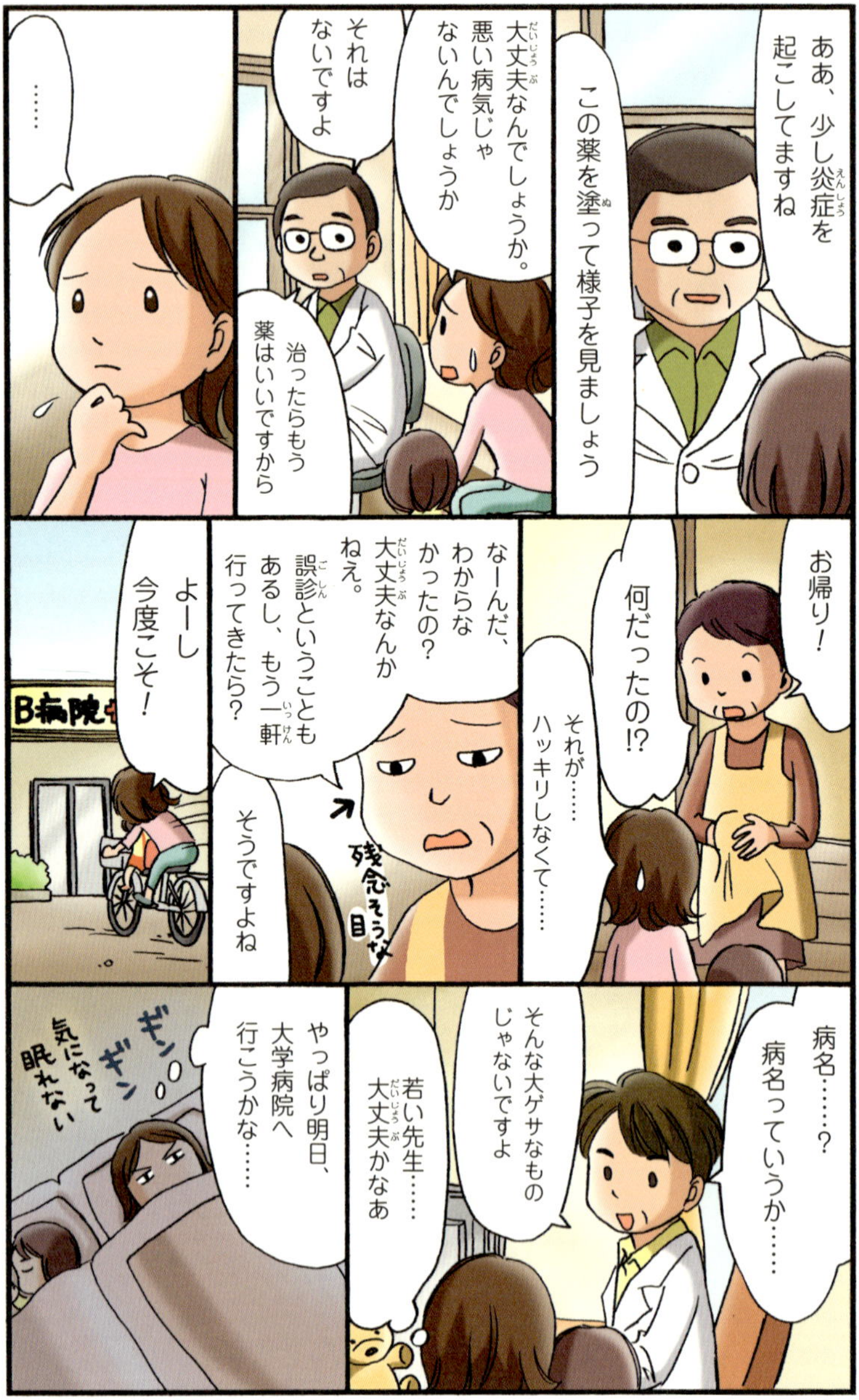
ああ、少し炎症《えんしょう》を起こしてますね
この薬を塗《ぬ》って様子を見ましょう
大丈夫《だいじょうぶ》なんでしょうか。悪い病気じゃないんでしょうか
それはないですよ
治ったらもう薬はいいですから
……
お帰り!
何だったの!?
それが……ハッキリしなくて……
なーんだ、わからなかったの? 大丈夫《だいじょうぶ》なんかねえ。誤診《ごしん》ということもあるし、もう一軒《いっけん》行ってきたら?
残念そうな目
そうですよね
よーし今度こそ!
B病院
病名……? 病名っていうか……
そんな大ゲサなものじゃないですよ
若い先生……大丈夫《だいじょうぶ》かなぁ
やっぱり明日、大学病院へ行こうかな……
ギン ギン
気になって眠れない

大学病院――
これは……
これは、何ですか？
これは……
顔面湿疹《がんめんしっしん》です
「顔面湿疹《がんめんしっしん》」ですか!!
さすが大学病院！
ありがとうございますっ
ありがとうございますっ
ペコペコ
うむ
ただいま！お母さんっ、わかったわよ
顔面湿疹《がんめんしっしん》だったんですって！
ハー、顔面湿疹《がんめんしっしん》かい。
大学病院まで行ったかいがあったねえ
つかれたー
顔面湿疹 顔面湿疹っと……
どれどれ
もーっ あそんでーっ
もうほとんど治っている
病名にとらわれないようにしましょう

Q

布団を掛けても掛けても、け飛ばしてしまいます。寝冷えが心配でよく眠れません。

A.

夏の終わりから、秋にかけて多いのが寝《ね》冷《び》えです。寝《ね》冷《び》えをするのはなぜでしょう。

それは、気温も人間の体温も、一日のうちで変化しているからです。

夏の暑い夜の寝《ね》入《い》りばな、子どもはたいてい、掛《か》け布《ぶ》団《とん》をけ飛ばしてしまいます。「寝《ね》冷《び》えをするといけないから……」と心配してママが布団を掛《か》け直《なお》しても、すぐにけ飛ばしてしまいます。暑いから布団をけ飛ばしたのですから、掛《か》け直《なお》してもすぐにけ飛ばされるのは当然でしょう。**夜の寝《ね》入《い》りばなは、体から熱を放散する必要があり、子どもの手足は**

温かくなっているので、掛《か》け布《ぶ》団《とん》はジャマなのです。掛《か》け布《ぶ》団《とん》をけ飛ばしても、それでもまだ暑いから畳《たたみ》の上にゴロゴロと転がっていく。こんなときは、子どものやりたいようにしておけばよいのです。

大切なのは、子どもが寒いと感じたときに掛《か》け布《ぶ》団《とん》を掛《か》けてやることです。子どもが寒いと感じるのは、手足が冷たくなっているときです。手足が冷たくなって、子どもが寒いと感じるのはいつでしょうか。それは主に明け方です。残念ながら、そんな時間にママは起きていません。

寝《ね》るときはまだ蒸し暑いので、布団を掛《か》けずにいても大丈夫《だいじょうぶ》ですが、朝方は気温が下がっているので寝《ね》冷《び》えをしてしまいます。そのため、夏の終わりから秋にかけて寝《ね》冷《び》えが多いのです。ほうっておいたほうがよいときに手出しをし、構ってやらないといけないときは手を出せない。何ともうまくいかないんですね。寝《ね》入《い》りばなと明け方では気温だけでなく、体温も変化していることをよく知って、エアコンのタイマーを使うなどして、対処していきましょう。

キズ

① 傷口が砂や泥《どろ》で汚《よご》れているときは、水道水で洗い流す。

② モイストヒーリング用のばんそうこうなどで、キズを密閉して治す。

③ 出血がひどい場合は、清潔なハンカチやタオルで直接押さえて、心臓より上に上げる。

①

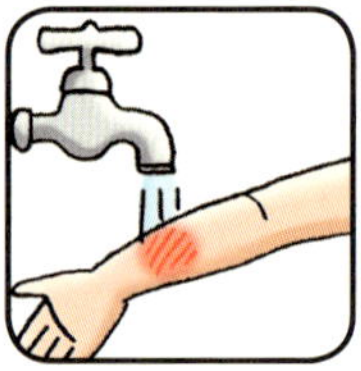

②

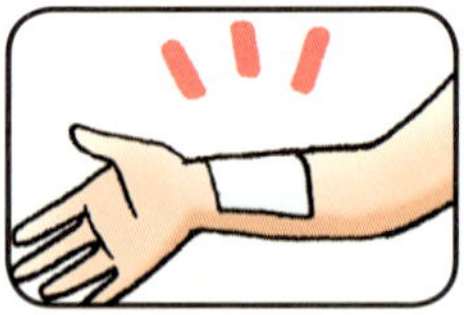

③

（受診《じゅしん》したほうがよいキズ）

*砂や土、木片、ガラスなどが入り、水で洗い流しただけでは取れないキズ。

*動物（特にネコ）にかまれたキズ。

*壁《かべ》にぶつかったり、転んだりしたときの、傷口がシャープでない深いキズ。

頭を打った

①

頭を打ったとき大声で泣き、その後、機嫌《きげん》がよければ、あわてる必要はありません。

24〜48時間は、食欲や顔色などに注意してください。

当日の入浴は控《ひか》えたほうがよいでしょう。

②

コブができたときは、

ぬれタオルでしばらく冷やす。

誤飲

＊まず何をのみ込《こ》んだかを確認してください。
少量の誤飲では、ほとんど無害な物もあります。すぐに吐《は》かせる物と、吐《は》かせてはいけない物もありますので、左図を参照してください。

中毒110番に電話するのもよいでしょう。

●のどに詰《つ》まったときの処置

乳児
幼児
幼児
(少し大きい子)

●吐《は》かせる物

（吐かせ方……舌の奥のほうを、指かスプーンで押す）

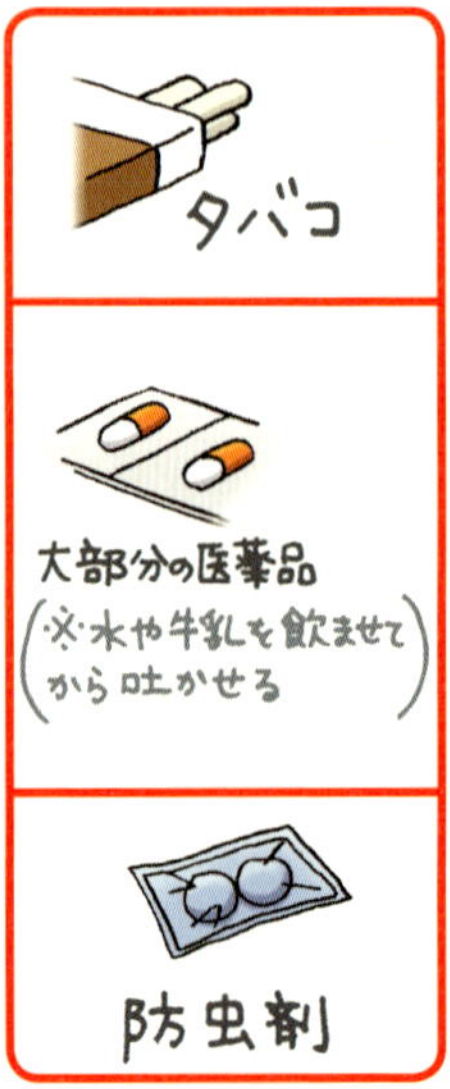
タバコ
大部分の医薬品
(※水や牛乳を飲ませてから吐かせる)
防虫剤

●吐《は》かせてはいけない物

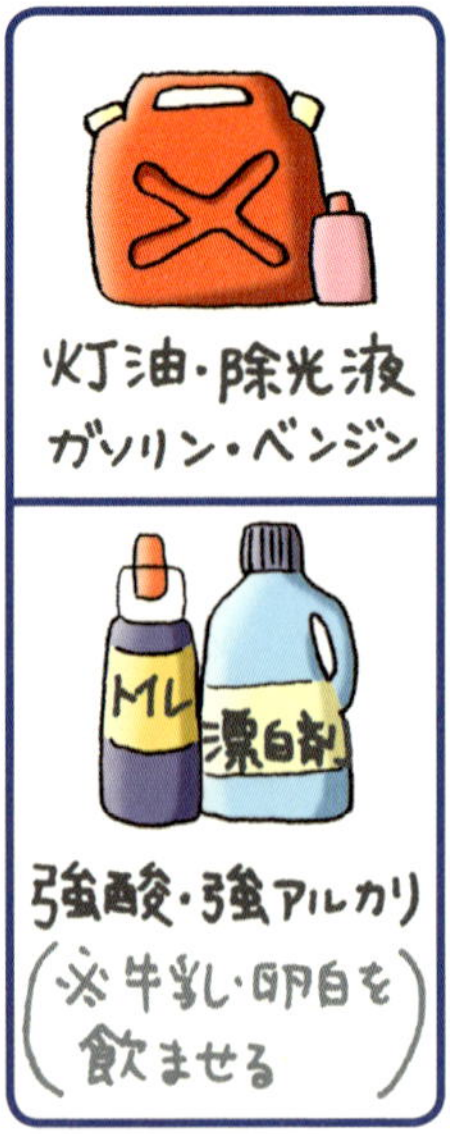
灯油・除光液
ガソリン・ベンジン
漂白剤
強酸・強アルカリ
(※牛乳・卵白を飲ませる)

●少量の誤飲ではほとんど無害な物

台所
ろうそく
マッチ
脱臭剤
保冷剤
酒
油
文房具
絵の具
えんぴつ
消しゴム
墨汁
インク
クレヨン
のり
粘土
化粧品
香水
コロン
化粧水
乳液
ファンデーション
ティッシュ
クリーム
せっけん
口紅
その他
カイロ
シリカゲル
ヘアートニック
シャンプー
靴墨
花火
線香
蚊取線香
蚊取マット
水銀

中毒110番（相談は無料）

つくば：029-852-9999（365日　9～21時受付）
大　阪：072-727-2499（365日　24時間対応）

やけど

＊流水で、痛みがなくなるまで患部《かんぶ》を冷やす。

＊服の上から熱い物をかぶったときは、服のまま水で冷やしましょう。
（無理に衣服を取ろうとせず、そのまま病院へ）

鼻血

＊少し前かがみにして、鼻のやわらかい部分（いちばんふくらんだところ）を両側からつまむ。
※10分たっても血が止まらない場合は、受診《じゅしん》してください。

＊ティッシュなどを詰《つ》めると、それを取り除くとき、再出血することがあります。

＊首の後ろをたたいても、鼻血を止める効果はありません。

歯が抜けた

＊永久歯の場合、そのまま牛乳に入れるか、子どもの口（舌の裏）に入れて、すぐに歯科へ持っていくと、再植《さいしょく》できる可能性があります。このとき、抜《ぬ》けた歯を水で洗ってしまってはいけません。

熱中症

＊涼《すず》しいところに寝《ね》かせ、足をやや高めにして安静に寝《ね》かせる。

＊水分と塩分を補給する（経口補水液《けいこうほすいえき》がいいでしょう）。

（熱中症《ねっちゅうしょう》の予防）

＊ほんの少しの時間でも、乳幼児は車の中に残していかないようにしましょう。外気が28度でも、閉め切った車内は、20〜30分で42度、1時間で46〜47度になります。

＊夏に戸外で遊ぶときは、つばの広い帽子《ぼうし》に、通気性・吸湿性《きゅうしつせい》のある服を着て、こまめに水分・塩分補給のための休息を取りましょう。

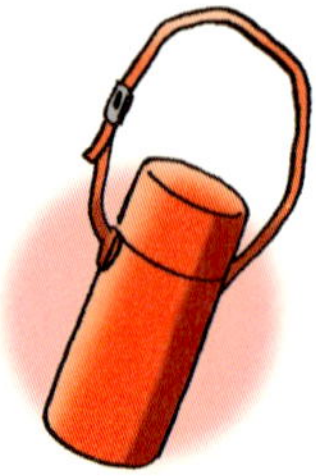

けいれん

① 平らで広い、安全な所に寝《ね》かせる。

② 衣服の首回りを緩《ゆる》める。

※これができていれば、けいれんが続いていても
あわてる必要はありません。

③ けいれんが5分以上続く場合は、救急車を。

× 子どもの口に、タオルや指をかませる。
↓けいれんで舌をかんだり、
窒息《ちっそく》することはありません。

× 大声で呼んだり、ゆすったりする。

×

×

＊熱の上がり始めにガタガタ震《ふる》えるのは、悪寒《おかん》です。

＊授乳中の赤ちゃんが、ブルブル震《ふる》えることがあります。
これは生理的なもので、ほかに変わったことがなければ心配いりません。

あら、また!?

心肺蘇生法

＊子どもが「お風呂《ふろ》でおぼれた」「おもちゃをのどに詰《つ》まらせた」「運動中に急に倒《たお》れた」など、呼吸と心臓が止まってしまったときに行います。救急車が来るまで〝何もしない〟よりは、失敗を恐《おそ》れず、勇気を持って直ちに始めましょう。

気道確保

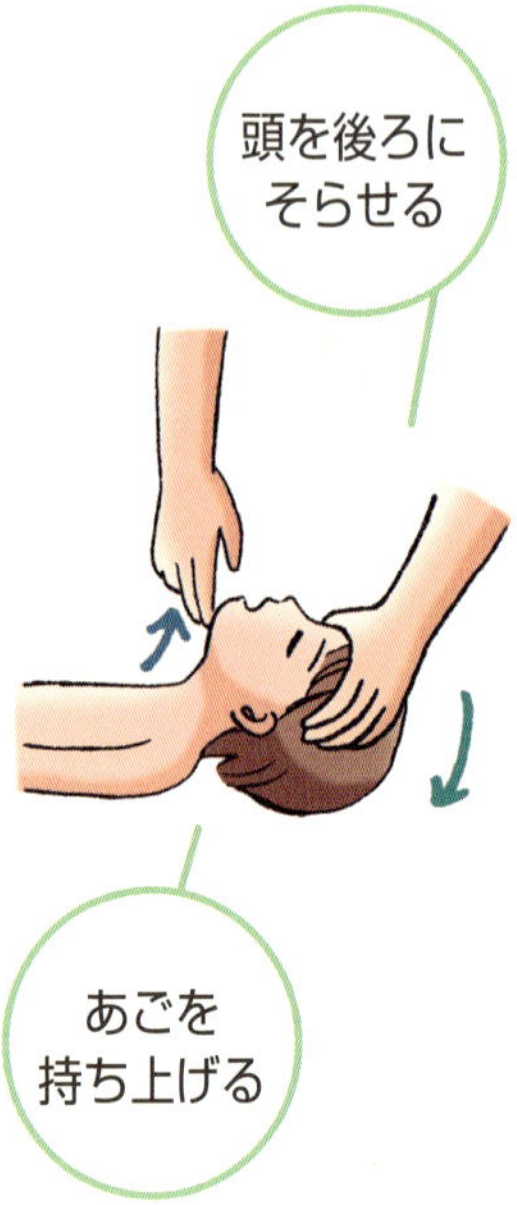
頭を後ろにそらせる
あごを持ち上げる

心臓マッサージ

乳児

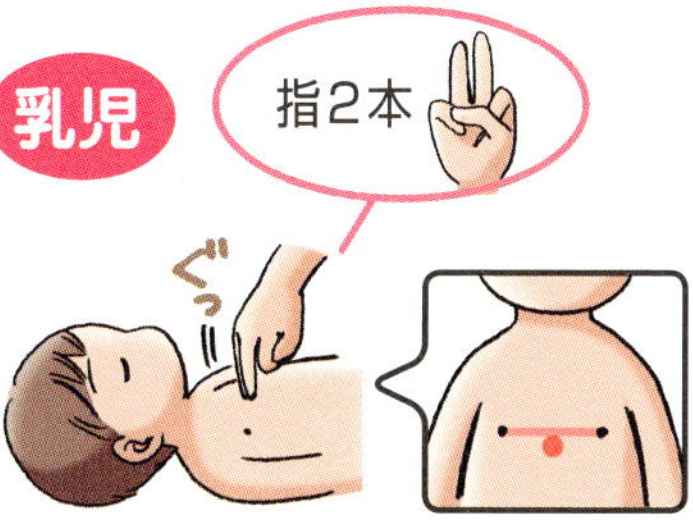
指2本
ぐっ

※乳頭を結ぶ線の真ん中のこころもち、下を押してください

幼児

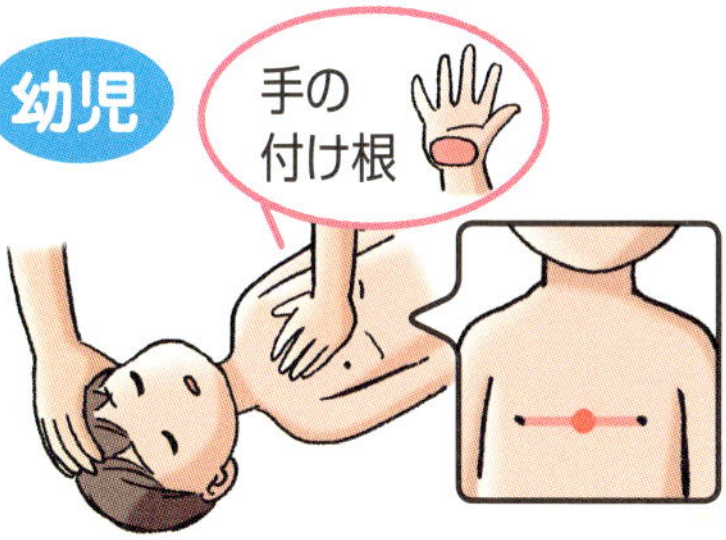
手の
付け根

※乳頭を結ぶ線の真ん中を押してください

強く（胸の厚みの 1/3 が沈むくらい）
早く（100 回 / 分）しっかり圧迫する

人工呼吸

乳児

口と鼻を
覆う

幼児

鼻をつまんで
口を覆う

子どもの口を大きく開け、
約 1 秒かけて息を吹き込む

30 回（心臓マッサージ） ← **2 回**（人工呼吸）

繰り返す

知っ得小児科関連サイト

▶夜間や休日などの診療時間外に病院を受診するかどうか、判断の目安を知りたい

【こどもの救急－おかあさんのための救急＆予防サイト】
http://www.kodomo-qq.jp/

▶子どもの急な病気に困ったら

【厚生労働省　小児救急電話相談事業（#8000）】
http://www.mhlw.go.jp/topics/2006/10/tp1010-3.html

▶各都道府県（一部市）の救急医療情報や休日・夜間情報が掲載されているサイトを知りたい

【独立行政法人福祉医療機構サイト内　都道府県救急・夜間診療情報】
http://www.wam.go.jp/iryo/link.html

▶化学物質（タバコ・家庭用品）、医薬品、動植物の毒などをのみ込んだとき

【財団法人　日本中毒情報センター】
http://www.j-poison-ic.or.jp/homepage.nsf

▶乳幼児期・学童期に多い病気について知りたい（心肺蘇生法もわかります）

【すこやか子育て健康百科（万有製薬）】
http://www.banyu.co.jp/sukoyaka/index.html

▶予防接種について知りたい

【国立感染症研究所 感染症情報センター（IDSC）サイト内　予防接種のページ】
http://idsc.nih.go.jp/vaccine/vaccine-j.html

▶乳幼児期の事故防止と災害対策について知りたい

【東京都福祉保健局サイト内　乳幼児の事故防止と災害対策について】
http://www.fukushihoken.metro.tokyo.jp/kodomo/shussan/nyuyoji/index.html

〈参考資料〉

飯野靖彦『一目でわかる水電解質』メディカル・サイエンス・インターナショナル、1995年

サティッシュ・ケーシャブ(著)峯徹哉(訳)『一目でわかる消化器病学』メディカル・サイエンス・インターナショナル、2005年

武内一『ヒブワクチンの実際』ノーブル・プレス、2008年

豊原清臣ほか(編)『開業医の外来小児科学』(改訂4版)、南山堂、2002年

夏井睦『創傷治療の常識非常識【消毒とガーゼ】撲滅宣言』三輪書店、2004年

夏井睦『創傷治療の常識非常識2 熱傷と創感染』三輪書店、2006年

西牟田敏之・西間三馨・森川昭廣(監修)日本小児アレルギー学会『小児気管支喘息治療・管理ガイドライン2008』協和企画、2008年

日本外来小児科学会(編著)『お母さんに伝えたい 子どもの病気ホームケアガイド』(第2版補訂)、医歯薬出版株式会社、2006年

馬場一雄『続・子育ての医学』東京医学社、2000年

真部淳・上村克徳(編)『小児科研修の素朴な疑問に答えます』メディカル・サイエンス・インターナショナル、2008年

向山徳子・西間三馨(監修)日本小児アレルギー学会 食物アレルギー委員会『食物アレルギー診療ガイドライン2005』協和企画、2005年

山本淳・小林晴美『小児科に行こう!』主婦と生活社、2005年

Richard E. Behrmanほか『NELSON TEXTBOOK OF PEDIATRICS』(17th EDITION)、Elsevier Science、2003年

『小児内科』Vol.40 No.2、東京医学社、2008年

「ノロウイルスに関するQ&A」厚生労働省、2007年

Barton D. Schmitt MD. Fever in Childhood. Pediatrics Vol.74 No.5 November 1984, pp.929-936

FDA Public Health Advisory, Nonprescription Cough and Cold Medicine Use in Children
http://www.fda.gov/cder/drug/advisory/cough_cold_2008.htm

Madeline Simasek, MD and David A. Blandino, MD. Treatment of the Common Cold. American Family Physician 2007;75:515-20,522.
http://www.aafp.org/afp/20070215/515.html

Margolis PA, Litteer T, Hare N, Pichichero M. Effects of unrestricted diet on mild infantile diarrhea: a practice-based study. Am J Dis Child 1990;144:162-4

MHRA Safety information, Children's over-the-counter cough and cold medicines: New advice
http://www.mhra.gov.uk/Safetyinformation/Safetywarningsalertsandrecalls/Safetywarningsandmessagesformedicines/CON038908

TGA announcement regarding the use of cough and cold medicines in children
http://www.tga.health.gov.au/media/2008/080409cold.htm

本書は、「子育てに関わる方に、まず知ってもらいたい」という基本の事柄を記してあります。医学事典とは異なりますので、さまざまな病気の詳細や、特別な対応を要することには触れておりません。また、本書だけで、子どもの病気・事故のすべてに対処できるものでもありません。あらかじめ、ご了解を頂けましたら幸いです。読者の皆様の忌憚なきご指摘、ご意見もお願いいたします。また、200ページに記載されている、「知っ得小児科関連サイト」のご利用につきましては、各サイトのご利用条件をよく了解されたうえ、ご自身の責任のもとにご利用ください。なお、サイトの中には年月がたつと閉鎖されるものもありますので、ご了承ください。

1歳になった子どもを保育園に預け、小児科の巻、打ち合わせ会合——
風邪《かぜ》は人にうつすと治るって本当ですか？
……私にはうつさないでくださいね
RRR
——えっ？
ガーん
すみません……子どもが熱を出しました
治っても3日めになると……
RRR
2カ月間、あらゆる感染症《かんせんしょう》のオンパレード
ひぃぃぃー
締め切りがーっ
体験が、そのまま本書のマンガとなったのでした…

イラスト

太田　知子（おおた　ともこ）

昭和50年、東京都生まれ。
２児の母。
イラスト、マンガを仕事とする。

小さい子どもは
本当によく体調を
崩しますね。
子どもを持って
初めてわかる
苦しみです。
全国のパパとママに
エールを！

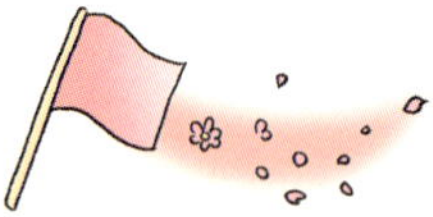

「子育てハッピーアドバイス」
シリーズ紹介サイト
http://www.happyadvice.jp/

装幀・デザイン　遠藤 和美

著者略歴

吉崎　達郎（よしざき　たつお）

昭和48年、徳島県生まれ。小児科医。大阪大学　医学部卒業。
大阪大学医学部付属病院産婦人科、市立吹田市民病院、
阪南中央病院小児科をへて、真生会富山病院小児科。
医学博士。
著書『子育てハッピーアドバイス　妊娠・出産・赤ちゃんの巻』(共著)
　『子育てハッピーアドバイス　ようこそ 初孫の巻』(共著)

明橋　大二（あけはし　だいじ）

昭和34年、大阪府生まれ。精神科医。京都大学　医学部卒業。
真生会富山病院心療内科部長。
児童相談所嘱託医、スクールカウンセラー、
NPO法人子どもの権利支援センターぱれっと理事長。
著書『なぜ生きる』(共著)
　『輝ける子』『子育てハッピーアドバイス』
　『忙しいパパのための子育てハッピーアドバイス』
　『子育てハッピーアドバイス　大好き！が伝わる ほめ方・叱り方』など。

子育てハッピーアドバイス
知っててよかった 小児科の巻

平成21年(2009) 5月20日　第1刷発行
平成25年(2013) 3月6日　第46刷発行

著　者　吉崎　達郎　　明橋　大二
イラスト　太田　知子

発行所　株式会社 1万年堂出版
　〒101-0052　東京都千代田区神田小川町2-4-5F
　電話　03-3518-2126
　FAX　03-3518-2127
　http://www.10000nen.com/

公式メールマガジン「大切な忘れ物を届けに来ました★1万年堂通信」
上記URLから登録受付中

印刷所　凸版印刷株式会社

 ISBN978-4-925253-35-2 C0037

いざというとき、あわてないために
いつも手元に小児科の巻！

子育てハッピーアドバイス
もっと知りたい 小児科の巻2

小児科医
吉崎達郎・明橋大二ほか著
スクールカウンセラー・医者
イラスト＊太田知子

各科の役割と、ママ安心のアドバイスが1冊に

耳鼻科
- 鼻水が続くときは、どうすればいい？
- 「中耳炎」の正体は、「耳の風邪」

皮膚科
- この発疹は何？──解読の手引き
- もっと知ってほしい「アトピー性皮膚炎」

歯科
- イヤイヤ期でもできる、虫歯予防
- 見落としやすいのは、10歳までの仕上げみがき

眼科
- 近視が進む、最大の原因は？
- テレビやゲームは、どれくらい影響するの？

小児科
- 子どもによくある感染症
- アレルギーのお話

Dr.明橋の相談室
- おしゃぶりがいつまでたっても離せません
- 「広汎性発達障害の疑いがある」と言われました

第2弾は、さらに充実！

◉定価 本体933円＋税　四六判
208ページ　ISBN978-4-925253-39-0

夫婦で読むと、効果倍増！

LOVE

忙しいパパのための子育てハッピーアドバイス

スクールカウンセラー・医者
明橋大二 著　イラスト 太田知子

パパの子育ては、こんなに重要!!

1. **お母さんが楽になる。** そうすると、親子のよりよい関係が築かれる。お母さんの、お父さんへの愛情も深くなる。
2. 子どもはお母さんだけでなく、お父さんからも愛されているんだという気持ちを持つ。**自己評価が高まる。**
3. **父親からほめられると、** 子どもは学校や社会へ出ていく**自信をつける。**
4. **父親にきちんと叱ってもらうと、** 子どもは**ルールを守れる**ようになる。

お父さんが育児をすると……
今日は休みだからお父さんと遊びに行くか!!
やったー やったー
わっわっ
よしっ うまいぞ！
クレープ
毎日が楽しい！
UP
自己評価
家族が大好き!!

Happy Advice for Fathers
忙しいパパのための子育てハッピーアドバイス
スクールカウンセラー・医者
明橋大二 著
イラスト 太田知子
パパだ〜い好きっ！
家族がhappyになれる！

●定価 本体933円＋税 四六判 192ページ ISBN978-4-925253-29-1

明橋大二のロングセラー

なぜ生きる

高森顕徹　監修
明橋大二（精神科医）
伊藤健太郎（哲学者）　著

こんな毎日のくり返しに、
どんな意味があるのだろう？

生きる目的がハッキリすれば、勉強も仕事も健康管理もこのためだ、とすべての行為が意味を持ち、心から充実した人生になるでしょう。病気がつらくても、人間関係に落ち込んでも、競争に敗れても、「大目的を果たすため、乗り越えなければ！」と〝生きる力〟が湧いてくるのです。

（本文より）

◉定価 本体 1,500円＋税
四六判 上製 368ページ
ISBN4-925253-01-8

読者からのお便りを紹介します

今、妊娠している身ですが、出産後のことを考えていたら、マタニティ・ブルーみたいなものになっていて、その時、この本に出会いました。

命のありがたさが分かり、これからの育児にも、いい影響を与えてもらえました。ありがとうございます。

（愛知県　33歳・女性・主婦）


本屋でパッと開いた時に、人生に目的を持たないで生きている人は、「ゴールを知らずに走っているランナーと同じ」という文面が出てきました。

そう、私って、毎日同じことのくり返しに苦しんでいたのです。この本を読んで、何か、すっきりしました。

（大阪府　35歳・女性）


社会人五年目となり、仕事をしている意味、生きていることが分からなくなり、この本を購入しました。この本に出会い、常に夢と目標を持って、前向きに生きていこうと思いました。

（静岡県　23歳・女性）